RABIA

Sergio Bizzio

RABIA

INTERZONA

INTERZONA

Bizzio, Sergio
Rabia / Sergio Bizzio. - 3a ed. 1a reimp. - Ciudad Autónoma de
Buenos Aires : Interzona Editora, 2016.
192 p. ; 23 x 13 cm.

ISBN 978-987-1920-96-9

1. Narrativa Argentina. 2. Novela. I. Título.
CDD A863

© Sergio Bizzio
El Cobre, Barcelona, 2004
Mondadori, Madrid, 2005
Mondadori, Buenos Aires, 2008
interZona, Buenos Aires, 2005

Octava edición

© interZona editora, 2005-2016
Pasaje Rivarola 115
(1015) Buenos Aires, Argentina
www.interzonaeditora.com
info@interzonaeditora.com

Coordinación editorial: Victoria Villalba
Diseño de maqueta: Gustavo J. Ibarra
Tapa y composición: Hugo Pérez
Foto de tapa: iStockphoto
Corrección: Luz Azcona y Victoria Villalba

ISBN 978-987-1920-96-9

Impreso en la Argentina. *Printed in Argentina*
Libro de edición argentina

—"Le das realmente mucha importancia si dejas que controle de ese modo tu vida", le dije. Y él: "¿Te gustaría saber si quiero oír lo que me estás diciendo?"

—¿Dijo eso?

—No. Me lo hizo saber.

Doctor Wayne W. Dyer & Lua Senku
Diálogos

1

–Cuando vos naciste yo estaba acabando...

–No te creo –dijo Rosa riéndose–, no podés acordarte de una cosa así...

Se llevaban quince años. Rosa tenía veinticinco y José María cuarenta. Él estaba tan enamorado que se creía capaz de todo, incluso de recordar lo que hacía cuando ella nació: ¿acababa? En esa época estaba de novio con una chica muy alta y muy flaca que se erguía cada vez que él le apoyaba una mano en la cintura; entonces parecía todavía más alta y huesuda de lo que era. La chica le llevaba una cabeza, era seseosa, usaba ropa elástica y se planchaba el pelo; a pesar de eso, tenían sexo. José María había estado de novio todo el año con esa chica: había una posibilidad en veintiocho de que realmente estuviera haciendo el amor el día del nacimiento de Rosa (febrero). Lo pensó en *días*, no en *segundos*: no le alcanzaba con ignorar que "si el orgasmo durara tres minutos, nadie creería en Dios", como dice el doctor Dyer; acertar con la memoria en unidades de tiempo tan menores, además, hubiera equivalido a probar su existencia. De todas formas, era una broma, un juego. Y Rosa estaba encantada, por lo menos con la intención. Lo abrazó.

Él se dejó llenar la cara de besos. Cuando la oreja de Rosa pasó cerca de su boca, aprovechó para decirle:

–¿Me das la cola?

Rosa se congeló.

–Uh... –dijo.

–¿Qué pasa?

–Yo sabía que en algún momento me la ibas a...

–¿No querés?

–Es que...

Muy frecuentemente Rosa no terminaba sus frases. Estaba excitadísima, pero dejar inconcluso lo que había empezado a decir era su manera habitual de hablar; no tenía que ver con la excitación: pensaba a la velocidad del rayo, sus pensamientos se atropellaban y se interrumpían.

–Te va a gustar...

–No sé...

–Te garantizo.

José María la miró un momento en silencio y, como Rosa no decía nada, se bajó de encima de ella, se acostó a su lado y le pasó una mano por la cintura para darla vuelta. Pero Rosa se arqueó y se apartó rápidamente, como si al contacto con la mano de José María hubiera recibido una descarga eléctrica.

–¿Qué tenés?

Ella negó con la cabeza.

–Dale, Rosa, yo sé lo que te digo...

Rosa se acodó en la cama, lo miró y le preguntó:

–¿Me querés?

–Sabés que sí...

–Y entonces ¿por qué querés hacerme...?

–Mi amor, ¿qué tiene que ver una cosa con la otra? Hace como dos meses que estamos saliendo... ¿Vos a mí me querés?

–Te adoro.

–¡Bueno, yo también!

–Sabía que un día me ibas a venir con...

–Sabías porque vos también querés. *Por eso* sabías.

–Lo que pasa es que nunca lo...

–¡Yo tampoco lo hice nunca!

–¿De verdad?

–¿Por qué te voy a mentir?

—¿Nunca hiciste el amor por la... con nadie?

José María se besó los dedos en cruz. Estaban los dos completamente desnudos en la habitación de un hotelito del Bajo al que iban los sábados; lo único que tenían puesto eran sus respectivos relojes. La semana pasada José María había comprado dos Rolex falsos y le había regalado uno a Rosa.

José María alcanzó a ver la hora en el Rolex de Rosa: faltaban veinte minutos para las doce del mediodía. A esa hora tenían que dejar la habitación.

—¿No me mentís?

—¿Qué querés, que te lo jure? Te lo juro de acá a la China si querés. Te lo juro por Dios.

—Te creo. ¡Qué tonta, te digo "Te creo" y vas a pensar que estoy aflojando...!

—Mi amor, no hablemos más. Nos quedan veinte minutos...

—¿Y en veinte minutos me querés hacer...? ¡Veinte minutos no es nada para una cosa así!

—Rosa, te amo.

—Sí, ya sé...

—¿Qué importa el tiempo si hay amor?

—Lo que pasa es que esto para mí es muy...

—Probá aunque más no sea. Dejame probar. Probemos.

—¿Y si me duele?

—¡Qué te va a doler! Si te duele, paro.

—¿Me vas a querer igual, después?

José María se sonrió.

—Vení, dame un beso... —le dijo.

Rosa lo besó, pero primero hizo una pausa: sabía que el beso era un "sí".

En el fondo estaba muerta de ganas. Se lo hubiera dado todo. Si hubiera tenido dos colas, le hubiera dado las dos. Lo amaba. Su miedo no era que le doliera, ni siquiera temía que él le perdiera el respeto. En realidad no le tenía miedo a nada. Su deseo la sobrepasaba, de la misma forma en que sus pensamientos se adelantaban a sus palabras; eso era todo. No, hay más: no veía la hora de que José María le pidiera hacer el amor por atrás.

Se habían conocido en la cola del supermercado Disco. José María era obrero de la construcción. Rosa era mucama en la mansión de los Blinder. Él había salido de la obra en la que trabajaba (todavía un esqueleto de edificio a dos cuadras de la mansión) para comprar la carne y el pan para el asado del mediodía y había quedado mal ubicado en la cola, precisamente detrás de Rosa, que había hecho una compra grande: el changuito rebalsaba. José María calculó que la chica tenía por lo menos para media hora de caja. Echó un vistazo a las cajas vecinas, pero allí las colas eran demasiado largas y se le escapó un chistido de malhumor. Rosa lo oyó; miró el canasto rojo que José María sostenía en una mano (había una bolsa de pan y otra con las tiras de asado) y le dijo:

–¿Quiere pasar primero usted?

A José María el ofrecimiento lo descolocó. Alzó las cejas, y con la cabeza hizo un movimiento muy breve que era a la vez una negativa y una afirmación.

–No, está bien, no hay problema...

No estaba habituado a ninguna clase de amabilidad. Así que, mientras Rosa empezaba a sacar los productos del changuito, entendió que el ofrecimiento había sido más bien una respuesta al chistido de impaciencia que él mismo había hecho un minuto antes, al ver la gran cantidad de cosas que había comprado ella y calcular el tiempo que le llevaría pasar todo por la caja.

–No quise decir... –dijo.

Rosa se dio vuelta y lo miró. Lo miró seria, callada.

–Que no quise... –repitió José María.

A veces le daba mucho trabajo hacerse entender.

Rosa volvió a inclinarse sobre el changuito y siguió descargando productos.

–Igual gracias –insistió José María.

–De nada.

La cajera se sonrió y bajó la vista hacia el envase de leche que tenía en la mano y tecleó los números del código de barras pensando que entre ese tipo y esa chica había algo, o que lo iba a haber. Y no se equivocaba.

Cuando Rosa terminó con lo suyo (lo dejó todo para un envío a domicilio) y salió del supermercado, no se fue enseguida: cruzó la calle y se quedó en el campo de visión de José María, fingiendo que miraba una vidriera. José María salió un minuto después, con la bolsa de compras enganchada a un dedo. Cruzó la calle directamente hacia ella.

–¿Te molesto? –le preguntó.

Rosa lo había visto venir reflejado en el vidrio, pero fingió sorpresa y hasta un cierto sobresalto. Dejó escapar incluso:

–¡Ay...! –y se llevó una mano al corazón–. ¡Qué susto que me di!

–Perdoná.

–No es nada...

–¿Sos de por acá?

–De ahí –dijo Rosa, señalando la mansión de la esquina con un dedo.

–Qué casita, ¿eh? –comentó José María–. Yo estoy laburando en la otra esquina, acá a la vuelta...

–¿Ah, sí?

–Sí. Vengo siempre a comprar acá.

–¿Y en qué rubro estás?

–Construcción.

–Ah, mirá vos qué bien...

–Sí, se está moviendo bastante ahora.

–¿Qué?

–La construcción. El año pasado no había nada. Ahora se está moviendo un poco más. ¿Y vos?

–Yo mucama. Todo tranquilo.

José María se sonrió como si de pronto hubiera recordado algo y le extendió una mano.

–José María –dijo.

–Rosa –dijo ella, dándole la mano.

–Encantado.

–Igualmente.

–Así que Rosa...

–Sí...

–¿Y vos también venís a comprar siempre acá?

–Es lo único que hay...

–Pero qué nutridito que está. Hasta discos tienen. Recién vi el de Shakira en oferta... ¿Te gusta Shakira?

–Sí. Tiene una voz....

–¿Qué música te gusta?

–Bueno... Cristian Castro... Iglesias...

–¿Padre o hijo?

–Hijo, toda la vida. La señora escucha al padre cuando está sola. Cuando hay gente, no, cuando hay gente pone esa música clásica que... –agregó riéndose–: La gente le dice "Sacá eso, Rita", pero ella igual... ¡No sé para qué la pone si ni a ella le gusta!

–¿No le gusta y la pone? Qué rara que es la gente... Así que Enrique Iglesias. ¿Enrique se llama, no?

–Enrique, sí. Pero Cristian Castro me gusta más, me llega más...

–¿Y de cumbia no te gusta nada?

–Antes. Ahora un poco me cansó.

–A mí también. Y eso que me crié con cumbia yo. Mi vieja me decía que cuando me tenía en la panza se ponía la radio en el ombligo con cumbia, calculá lo que te digo. Pero tenés razón: a la larga cansa.

–Ahí no estoy muy de acuerdo. A mí no me gusta porque no me gustó nunca. Pero tengo gente que le gusta y le va a gustar siempre...

–¡Pero si hace un ratito me dijiste que antes te gustaba...!

–No, la verdad que nunca me gustó. Lo que pasa es que no te quise ofender, porque me pareció que vos...

–Sí, tenés razón, yo soy cumbiero de alma, para qué te voy a mentir.

–¿Qué increíble, no? Recién nos conocemos y ya nos mentimos...

–Bueno, tampoco es mentir –dijo José María, restándole importancia al asunto–; es un tema de conversación como cualquier otro. Uno va tanteando y por respeto...

–Prudencia. Está muy bien eso.

–Está perfecto.

–Así tiene que ser. A mí la prudencia me parece... A mí cuando alguien te dice la verdad de golpe...

–Pero vos tenés cara de ser sincera...

–Gracias.

–¡No, no, te digo en serio! Yo te miro y me doy cuenta que sos sincera. ¿Cómo me dijiste que te llamabas?

–Rosa.

–Lindo nombre Rosa.

–Gracias. Bueno...

–¿Te vas?

La charla siguió en esos términos durante unos cuantos minutos más, porque se habían flechado y ninguno de los dos tenía ganas de irse. No se habían movido un solo milímetro del lugar en el que estaban, parecían clavados al suelo; a pesar de que avanzaban y retrocedían permanentemente, lo hacían siempre desde y hacia el mismo punto, apoyados en movimientos de cintura, como si el impacto del flechazo les hubiera hecho perder el equilibrio.

El portero del edificio de al lado los miraba de reojo, estudiándolos. A ella la había visto un millón de veces, siempre sola, pero esta era la primera vez que lo veía a él, y no le gustó la forma en que le hablaba. De pie en la puerta de entrada al edificio, el portero hacía un gran esfuerzo por oír la conversación; escuchaba pedacitos de cosas, frases sueltas, tales como "¿A quién votaste?", "Ah, no, el voto es secreto", y sentía que le subía por la garganta una oleada de indignación: era evidente que el desconocido seducía "adrede" a la mucama de los Blinder.

En el barrio carecían de código, pero todo hacía pensar que tenían uno. No lo había, pero funcionaba igual. Era un código instintivo, que estaba más allá de lo evidente (la calidad de la ropa, el color de la piel y del pelo, la dicción, la manera de andar) y que, por supuesto, incluía al personal doméstico. En líneas generales, lo que se hacía era "marcar" a los cuerpos extraños, principalmente con la vista, transmitiéndoles la sensación de ser vigilados: una insolencia muy efectiva, avalada y practicada por todo el barrio, incluido un buen número de mascotas. De hecho, el portero dejó muy pronto de observarlos de reojo para empezar a mirarlos abiertamente, e incluso dio un paso hacia ellos para oír mejor lo que decían.

No oyó mucho: en ese momento José María y Rosa se despidieron. Lo único que alcanzó a oír claramente fue la promesa que se hicieron de verse otra vez. Rosa dio una rápida carrerita hacia la mansión. José María la miró un momento y después dio media vuelta y se dirigió hacia la obra.

Pasó al lado del portero silbando y haciendo balancear la bolsa con el asado. El portero, más desafiante que nunca ahora que se le iba, dio un paso adelante haciéndose el distraído, como si quisiera ver algo en el cordón de la vereda, y se puso en el trayecto de José María. Fue todo tan rápido como premeditado: quería forzar a José María a pasarle por detrás, para que él pudiera entonces dar un giro sobre los talones y seguirlo con la vista: un insulto. Lo que escapó al cálculo del portero (un flaco obeso, de hombros enjutos, muy poco observador) fue que el desconocido iba a sentirse efectivamente insultado.

–¿Qué mirás, pedazo de boludo? –le dijo José María, sin detenerse.

El portero quedó mudo, paralizado. Cuando por fin consiguió reaccionar, José María ya estaba en la esquina. "Mi Dios, qué ágil que es –pensó–. Me juego la cabeza a que este tipo es capaz de saltar de una vereda a la otra sin tocar la calle."

Unas horas después, a la tarde, lo vio de nuevo. Eran las seis y media, para ser exactos. El portero ya se había lavado y cambiado y estaba de nuevo en la puerta de su edificio haciendo como todos los días un esfuerzo enorme por parecer aburrido. José María había terminado su jornada; él también se había lavado y cambiado de ropa, y ahora caminaba hacia la mansión de los Blinder.

Era la primera vez que pasaba por ahí al término del día; en general seguía por la calle de la obra hacia el Bajo, donde tomaba el colectivo hasta su casa, en Capilla del Señor. Con solo pensar que tenía dos horas de viaje le daba sueño. Pasó al lado del portero cabeceando.

–Che, vos –le dijo el portero.

José María se detuvo. Lo miró. No lo miró de arriba abajo, lo miró directamente a los ojos y le preguntó:

–¿Qué te pasa?

–¿Yo te hice algo a vos?

–¿Por?

–Esta mañana me dijiste "boludo"...

–Perdoná. Lo que pasa es que estaba charlando acá al lado con una señorita y vos estabas meta relojear y... qué sé yo, viste cómo son las cosas. ¿Nos conocemos nosotros?

–No creo.

–Por eso te digo. Queda feo andar mirando así a la gente. Y encima después te hiciste el distraído y te me pusiste en el paso. Por eso te dije boludo.

–A mí no me gustó.

–Y bueno, qué querés que le haga.

–Que me pidas disculpas por lo menos...

José María estaba cansado, no tenía ganas de discutir, así que soltó una risita y siguió de largo. El portero se paró en mitad de la vereda y, mientras lo miraba alejarse, pensó mil veces decirle que volviera, incluso ensayó mentalmente varios tonos de voz, pero no consiguió ni decir otra vez "che". Frustrado y rabioso, se metió en su casa. Dio un portazo tan fuerte que a su esposa se le cayó el salero en la olla.

–¡La puta madre que los parió con estos negros de mierda...! –dijo mientras discaba un número al teléfono–. Holá, ¿Israel? –oyó Israel que le decía alguien al otro lado de la línea–. Soy yo, Gustavo –dijo el portero–. ¿Estás ocupado?

Israel puso los ojos en blanco:

—Qué puntería que tenés, Gustavo —dijo—: estaba comiendo...

—Te llamo en otro momento, entonces...

—No, decime, qué pasa...

En tanto, José María se había parado en la esquina de la avenida Alvear y Rodríguez Peña a mirar la mansión. Las ventanas estaban a oscuras, excepto las de la cocina, en la planta baja, y una más en el primer piso. La casa era imponente: grisácea, chorreada de musgo, con faltantes de reboque allá y aquí y como aureolada de humo, pero no había que ser muy culto para advertir la pátina esplendorosa que la envolvía; sin ir más lejos, la escalera de mármol blanco de la entrada principal se derramaba sobre el jardín con tal plasticidad que daba la impresión de haber sido hecha con una manga de repostería. "Qué belleza", pensó. Se rascó una axila y empezó a decir en voz muy baja "Rosa... Rosita...", despegando apenas los labios. Era un llamado... Nunca había hecho una cosa así. Debía de estar enamorándose. Pero el corazón le latía igual que siempre, al mismo ritmo y con la misma intensidad. Entonces se levantó uno de esos vientos tubulares que tocan las cosas una por una: el viento alzó del suelo una hoja de diario para abandonarla unos metros más allá, sacudió la copa de un árbol, hizo vibrar un cartel y desapareció a lo lejos. La gente apuró el paso. José María levantó la vista al cielo; había grandes zonas de un azul oscuro cargado de estrellas, pero la tormenta estaba allí, encapsulada en una docena de nubes, todas listas para estallar.

2

Al otro día no había caído una sola gota y el cielo brillaba como un espejo. De José María se burlaron cuando apareció en la obra con paraguas. "Lo que pasa es que yo me levanto a las cinco y vos te levantaste hace diez minutos", le dijo al capataz, un hombre robusto y fuerte con un bigote daliniano, que fue el que llevó la voz cantante en las cargadas. A esa hora (siete de la mañana) nadie tenía una pizca de humor, así que solían cebarse en pequeñeces, en chistecitos baratos y vulgaridades. El capataz no recibió bien el comentario de José María, pero lo dejó pasar, porque algo era cierto: no podía ser él quien justo provocara una pelea, cuando era tan fácil echarlo sin discutir. Se limitó a agarrar a José María de un brazo y a apartarlo un poco de los demás, lo suficiente para hablar sin ser oído.

–Escuchame, tontito, te hice un chiste, no te lo tomés así porque yo también tengo mi carácter –le dijo.

–Ah, mirá vos, no sabía.

–¿No sabías qué?

–Nada, dejá. Si tenés carácter, mejor lo dejamos ahí.

–¿Me estás desafiando? ¿No te das cuenta de que te puedo echar ahora mismo, si quiero?

José María asintió en silencio con la cabeza, sin quitarle ni un segundo la vista de encima. El capataz, por su parte, le sostuvo la mirada sin soltarle el brazo. Es más: la presión de su mano sobre el brazo de José María aumentó mientras se miraban, sincronizada con la inminencia de una respuesta física por parte de José María.

El capataz estaba seguro de que el muchacho lo iba a atacar de un momento a otro; lo imaginó agarrándose con las manos de la viga debajo de la que estaban parados y ahorcándolo con las piernas. Lo había visto hacer exactamente eso un par de semanas atrás, bromeando con un compañero, y se había quedado impactado con su agilidad. Pero José María escupió a un costado y dijo:

–Vamos a trabajar que se va el día...

Recién entonces el capataz lo soltó.

José María fue a cambiarse. El clima quedó pesado y eso se notaba en la actitud de los que habían seguido la escena de cerca, e incluso en los que acababan de llegar; entraban a la obra y ya sabían que algo andaba mal. Nadie decía nada; se movían despacio, mirando al suelo, parpadeando menos de lo habitual.

–Mirá vos lo que puede hacer un paraguas –comentó uno en voz baja.

–No, qué paraguas; fue el chiste –le contestó el otro–. Hay que saber a quién cargás. Este María sin paraguas es peligroso igual.

Todo el mundo lo llamaba así, María. Era algo que se daba naturalmente y que a José María parecía no importarle. No le importaba, de hecho. Rosa empezó a decirle María. No había oído nunca a nadie llamado así y de pronto le dijo María. Había algo en la delgadez fibrosa de su cuerpo que, combinado con el largo de las pestañas, eliminaba casi automáticamente la posibilidad de ser llamado José. Así como bastaba verlo para saber que su agilidad era la de un superdotado, y estar en lo cierto, su peligrosidad hacía que la gente lo llamara "María" con cuidado, bajando la voz, como si a pesar de su aceptación a ser llamado así temieran ofenderlo igual.

Al capataz, que era un hombre sanguíneo, se le heló la sangre cuando María le sostuvo la mirada, pero ahora que todo había pasado, la sangre le bullía. Esos cambios tan bruscos de temperatura le habían impedido advertir la peligrosidad de María. Lo mismo le había ocurrido al portero. Si hubieran prestado un poco más de atención, o si hubieran sido un poco más perceptivos, no se habrían metido con él. María no les había hecho nada; ellos lo habían buscado. Seguramente una zona de previsión de alguna ley natural se activa para que la araña, aun sin hambre, atraiga a sus mosquitas, pero no sería justo contar entre ellas a Rosa.

Lo que pasaba inadvertido para el capataz y el portero, a Rosa, por el contrario, la enceguecía; era una chica servil y sin carácter y estaba llena de ilusiones que no terminaban de arrancar; la peligrosidad de María, que Rosa había resuelto en términos de "carácter" (se decía "va al frente", "es desafiante"), era el complemento ideal, la pieza que faltaba en su sistema. Le encantaba estar con él. Se sentía protegida. Tenía la impresión de que juntos podían comerse el mundo. Estaba tan lejos de la realidad que no veía la hora de estar con él.

María pasaba a verla cada día a las seis y media de la tarde, cuando terminaba su jornada de trabajo. Se encontraban en la entrada de servicio de la mansión y entre un beso y otro hacían planes de una nimiedad asombrosa, pero fundamentales para ellos, tales como verse al día siguiente en el Disco o pasar juntos la noche del sábado en el hotelito del Bajo.

Rosa y María hacían el amor todos los sábados, y a veces también los domingos. Podrían haberlo hecho todos los días, si fuera por ellos, porque Rosa tenía la libertad de salir cuando quisiera, pero la verdad es que no les daba el presupuesto. Ganaban los dos lo mismo: 700 pesos mensuales. Las dos horas de hotel costaban 25 pesos, es decir que gastaban 100 pesos por mes en hacer el amor solamente los sábados, y 200 si lo hacían también los domingos. Pagaban a medias (una vez él y una vez ella), pero los gastos mensuales de Rosa eran mucho menores que los de María, ya que él tenía que viajar cada día hasta su casa en Capilla del Señor, ida y vuelta, lo que representaba una suma mensual de 260 pesos. Entre sexo y viajes gastaba unos 310 pesos. Si se tratara solamente de eso, podría haber vivido cómodamente con los 390 pesos restantes, pero era también una persona y debía comer y fumar, y (en las pocas ocasiones en las que además de persona intentaba ser caballero) pagar la cerveza o el café en las salidas al centro, con lo cual prácticamente no tenía otra alternativa que hacer el amor nada más que los sábados.

Rosa lo lamentaba, pero es cierto que ella no vivía en el mismo aprieto económico que María. Rosa incluso podía ahorrar. Tenía comida y un techo asegurados y no debía viajar a ninguna parte. Ni siquiera se compraba ropa (María tampoco, en realidad). De revistas, ni hablar; el señor Blinder, su patrón, estaba suscripto a la *Selecciones del Reader's Digest*, que llegaba puntualmente por correo y que ella abría y leía incluso antes que él.

Para María, ganar lo mismo que Rosa era un hecho perturbador, porque consideraba que hacía un esfuerzo mucho mayor al que hacía ella. Esto era cierto en cuanto a empleo de fuerza física, pero no a ocupación del tiempo. En ese sentido Rosa trabajaba el doble. Pero el tiempo no contaba en la mentalidad puramente muscular de María, que no tenía plata ni para cortarse el pelo. De hecho, usaba el pelo muy corto sobre las orejas y bastante más largo sobre la nuca, y no porque ese corte estuviera de moda, sino porque podía cortárselo él mismo frente al espejo.

A medida que avanzaba el noviazgo con Rosa, su "actitud" le granjeó una larga serie de enemigos en el barrio, algunos inconsistentes y ocasionales, pero otros muy bien consolidados. Por empezar, el portero, a quien se había sumado Israel, el hijo del presidente del consorcio. Israel era un rugbier de veintisiete años de edad, una mole con ojos y boca como ranuras y la cabeza hundida entre los hombros. Nunca había jugado al rugby, ni siquiera conocía las reglas del juego, pero andaba siempre vestido con camisetas de todos los equipos de rugby del mundo; transpiraba mucho, además, y con muy feo olor, así que vivía empapado en carísimos perfumes que, al entrar en combustión con la química de su olor personal, producían una fragancia única apenas tolerable, ante la que a mucha gente se le cerraban los bronquios.

Andaba siempre vestido de jean y mocasines de gamuza y –vale la pena decirlo ya– era nazi. El portero lo había llamado para contarle su encontronazo con María porque sabía que Israel odiaba a los extranjeros, y más si eran pobres, y más todavía si se hacían los vivos en el barrio; se lo había dicho él mismo en más de una oportunidad:

"Dejá que agarre a uno y vas a ver". Era su frase predilecta, con esa amenaza le gustaba cerrar todas las conversaciones. Muy bien, ahora tenía la oportunidad de entrar en acción. Parado en la puerta del edificio en compañía del portero, esperó a que pasara María. Israel se sonaba las articulaciones de los dedos, de las muñecas, de los tobillos, del cuello, mientras el portero fumaba un cigarrillo detrás de otro.

María pasó a las seis y media en punto, como la tarde anterior. El portero lo vio venir y codeó a Israel, señalándoselo con el mentón.

–Es ese.

–Retrocedé –le pidió Israel en voz baja.

El portero dio un paso atrás.

De nuevo había tormenta. María, indiferente a la posibilidad de empaparse, venía silbando una melodía informe y habilidosa, una música de pájaro; llevaba el bolso con su ropa de trabajo colgando sobre la espalda. Cuando estuvo a punto de pasar al lado de los dos hombres, uno de ellos, Israel, le cortó el paso groseramente, poniéndosele adelante.

–¿Adónde vas? –le dijo.

–¿Por?

–¿Cómo "por"? Porque te lo pregunto yo, negro judío hijo de puta.

María miró al portero, que se limpiaba las uñas con una llave, y entendió por dónde venía el asunto. Entonces hizo algo insólito: se quitó el bolso del hombro y echó a correr hacia la esquina. Corrió tan ágilmente y a tal velocidad que Israel no había terminado de girar y él ya había desaparecido.

–¿Viste eso? –le dijo Israel al portero.

–Te dije que era rápido...

–Qué gallina negra judía hija de puta. Estos bolitas son todos iguales...

–Me parece que bolita no es. Es alto.

–Chileno.

–Capaz que peruano...

–Los peruanos también son unos negros judíos hijos de puta enanos. Pero este es chileno. Si no es bolita, es chileno. Mejor. Ya lo voy a agarrar. ¡Le voy a hacer comer las Malvinas al chileno negro judío hijo de puta! –dijo, y se persignó, besándose ruidosamente el pulgar. Ya que estaba, empezó a morderse la uña.

No lo podía creer. El portero tampoco. Estaban atónitos los dos, nunca habían visto algo así. Era el campeón de la cobardía del mundo. Entre la agilidad y la cobardía de María, Israel y el portero no sabían con qué sorprenderse más.

Fue entonces cuando María apareció de nuevo. Lo vio primero Israel, doblando la esquina en dirección a ellos. Ahora venía en compañía de Rosa.

–¿Es aquel que viene ahí o yo veo mal? –preguntó Israel.

–¡Qué cobarde hijo de puta! –exclamó el portero–. ¡Mirá que hay que tener bolas para venir de nuevo... y encima con la chica a cuestas!

–Retrocedé.

–Mejor lo dejamos para mañana, Israel... La chica se va a poner a gritar, va a hacer un escándalo... A mí me van a echar...

–A vos nadie te va a echar. Mi viejo es presidente del Consorcio. Retrocedé que yo me encargo...

–¿Te jode si me voy para adentro?

Israel no contestó; tenía la vista fija en María, que ya estaba a veinte metros. El portero esperó un momento (quería quedarse, quería ver cómo lo destrozaba), pero al final optó por cuidar su puesto de trabajo y entró al edificio.

Israel se paró en mitad de la vereda.

Rosa se dio cuenta de que algo pasaba y se inquietó. No dijo nada, pero María sintió que ella le apretaba el brazo.

–Tranquila –le dijo–, es un boludo que no tiene nada que hacer. Vos seguí caminando como si nada.

Israel les cortó el paso.

–Ay... –dijo Rosa en un susurro. Estaba más extrañada que asustada.

Israel le habló primero a ella:

–¿Vos sos la sirvienta de los Blinder, no?

Rosa asintió.

Israel desvió la vista hacia María para decirle ahora algo a él, cuando de pronto sintió que un puño le enterraba la nariz entre los ojos. Retrocedió y se llevó una mano a la cara. La mano se le llenó de sangre. María dio un salto adelante y le descargó un cabezazo en la frente y un nuevo puñetazo, esta vez en el estómago. Israel soltó un gruñido, las piernas se le doblaron, se bamboleó a un lado y a otro, y finalmente alcanzó a estirar un brazo y apoyarse en la pared. María y Rosa siguieron caminando.

–Vamos, mi amor.

Israel cayó sentado en el umbral del edificio. En la pared quedó la huella de sangre de una mano.

El portero, que lo había visto todo, salió del edificio con los ojos abiertos como fuentes.

–¡Policía... policía...! –empezó a gritar.

Pero Israel lo agarró de una pierna con la última línea de energía que le quedaba y le dijo, con su orgullo intacto:

–No levantés la perdiz, boludo, ¿no ves cómo estoy? Ayudame a entrar...

El portero lo agarró de un brazo, lo sujetó hasta que Israel consiguió ponerse de pie, lo metió en el edificio y cerró la puerta.

En los días siguientes, cada vez que Rosa salía de la mansión para ir al Disco, se cruzaba a la vereda de enfrente, evitando pasar por el edificio, por temor a encontrarse cara a cara con el portero y con Israel. A Israel no volvió a verlo, pero se cruzó varias veces con el portero, que la seguía con la vista como diciendo "Ya te voy a agarrar". Se lo comentó a María.

–No te preocupes, no lo dice por vos, lo dice por mí.

Siempre, al ir o al regresar del Disco, Rosa se desviaba un poco del camino y se daba una vuelta por la obra para ver un minuto a María; entonces el ruido de las máquinas, los golpes de maza, el frotar de las cucharas en los baldes, todo se ralentaba, sin cesar, como si la cinta de la realidad patinara. Rosa no era bonita, pero brillaba con la luz de un millón de buenas intenciones, una luz que hacía resaltar sus virtudes físicas. Su amor por María era tan evidente que, al irse de la obra, las máquinas, las mazas y las cucharas retornaban a su ritmo normal con un exceso de aplicación, casi con rabia. Por un instante el ruido se volvía ensordecedor.

Sobre el fin del invierno el señor y la señora Blinder se fueron de vacaciones a Costa Rica. Rosa quedó sola en la casa. La partida de los Blinder significó el fin (provisorio) de la influencia de la economía sobre el sexo: a partir de ese momento Rosa hizo pasar a María a la cocina para hacer el amor. Ahora hacían el amor todos los días, no solamente los sábados. Y lo hacían dos veces, a la mañana y a la tarde. Por otra parte, Rosa le preparaba una vianda, que María pasaba a buscar muy temprano por la mansión; en general, milanesas con papas, papas fritas, papas a la crema, papas al horno. Comían mucha milanesa y mucha papa. A la tarde ella lo esperaba con milanesas y una botella de vino. Comían juntos y María se iba de la mansión ya entrada la noche.

La prohibición de permitir el ingreso de extraños a la casa era absoluta. Rosa lo sabía, por supuesto (se lo habían dicho dos veces, las dos veces mirándola fijo), pero estaba tan enamorada de María que dejarlo entrar a la cocina le pareció una violación menor. De todos modos, se cuidaba: montaba un verdadero operativo de disimulo frente a los vecinos; a veces se entretenía conversando con María en la reja de la entrada de servicio un buen rato antes de hacerlo pasar, cuando estaba segura de que nadie los había visto; a veces salía a recibirlo con un rastrillo en la mano, como si María fuera el jardinero... Una vez adentro, comían, hacían el amor (siempre en la cocina) y miraban televisión en un pequeño aparato que Rosa traía de su cuarto y ponía sobre la mesada.

La primera vez que María entró a la mansión se sorprendió con las dimensiones del lugar.

–¿Todo esto es la cocina? –dijo–. ¡Es más grande que mi casa...!

La segunda vez que entró quiso meter las narices más allá, pero Rosa se lo impidió con una súplica sin sentido ("No me comprometas") y él no insistió. Dejó pasar tres o cuatro días. Entonces Rosa accedió a llevarlo a su dormitorio.

Él la siguió por un pasillo en penumbras hasta un pequeño dormitorio mal ventilado, con una cama destendida y un velador sin pantalla en la mesita de luz. María estaba atónito; no podía creer que la mansión fuera tan estrecha y oscura. Mientras hacían el amor, Rosa le explicó, tratando de cerrar el tema lo más rápido posible, que esa era el ala de servicio y que ni siquiera la había visto toda; el resto de la mansión era muy distinto. Después le pidió que la esperara un momento y fue al baño. Cuando volvió María no estaba en el cuarto. Rosa salió al pasillo y lo llamó en voz baja, como si los Blinder pudieran oírla.

Avanzó hasta el final del pasillo. Después volvió sobre sus pasos y corrió hasta la cocina. María tampoco estaba allí. Rosa se asustó; estaba agitada, como si ya hubiera corrido lo que iba a correr a partir de entonces. En efecto, fue y vino de un lado a otro buscándolo desesperada, hasta que llegó al corredor que daba al living –una sala espaciosa, con todas las ventanas cerradas–, donde por fin oyó que María la llamaba. Él la llamaba a ella.

–Rosa...

–Sí, soy yo. ¿Dónde estás?

–¿Rosa? –decía María en susurros desde alguna parte.

–¡Acá estoy, María! ¡Salí, por favor, no juegues...!

–¿Dónde estás, Rosa?

–¡Acá! ¿Y vos?

Rosa oyó el ruido de algo que acababa de caer y romperse.

–¿Dónde estás, María?

–No sé, Rosa, estoy perdido... Te escucho pero no te veo...

Lo encontró en la biblioteca. Rosa encendió la luz. María estaba parado junto al escritorio, con una mano apoyada en el respaldo del sillón preferido del señor Blinder. En la oscuridad se había llevado por delante una lámpara de pie; la lámpara había caído sobre una banqueta y la bombita de luz y la pantalla se habían roto. La alfombra estaba llena de vidrios, como si la lámpara se hubiera multiplicado al romperse.

Rosa lo fusiló con la mirada. Después, como no quería dejarlo solo de nuevo para ir a la cocina a buscar una pala y una escoba, agarró de encima del escritorio el catálogo de una muestra de pintura y lo usó para barrer y recoger los vidrios.

–Fui a echar un vistazo y se me complicó... –le decía María–. Bajé la escalera, agarré para allá y... es un laberinto esta casa.

–Te dije que te quedaras en la pieza.

–No te enojes... –dijo María levantando la lámpara del suelo.

–No me enojo. Pero mirá si te veía alguien...

–¿Y quién me va a ver, si no hay nadie?

Rosa no dijo nada más. Se levantó y, seguida de cerca por María, fue a la cocina a tirar los vidrios a la basura. Era una lástima: se les había hecho tarde –habían desperdiciado el tiempo– y Rosa estaba de malhumor. La señora Blinder la reprendería por haber roto la pantalla, quizá incluso se la descontaría del sueldo. María se deshizo en disculpas, estirando a cada rato una mano hacia la mejilla de Rosa, pero ella se lo sacó siempre de encima como a una mosca. Finalmente María agarró del tacho de basura un pedazo de la pantalla rota diciéndole que mañana le iba a comprar una igual. Rosa hizo un chasquido con la lengua y entreabrió la puerta de la cocina para acompañarlo hasta la vereda. María frenó la puerta con un pie y Rosa se dejó besar. Después fue hasta la puerta de calle. Miró a un lado y al otro y, cuando se convenció de que no había nadie a la vista, le hizo una seña a María para que saliera. En la puerta de calle él la besó otra vez.

–Paso mañana... –le dijo–. Y perdoná de nuevo. Chau, linda.

–Hola, linda –fue lo primero que le dijo al otro día. Hacía tanto frío que, cuando Rosa lo abrazó, él sintió sus manos tibias a través del pulóver. No traía la pantalla.

–Estaba escuchando recién en la radio que hubo un tornado impresionante en Costa Rica –dijo ella–, pero no sé bien si decía en Costa Rica o en Puerto Rico...

–En Estados Unidos hay muchos tornados...

–Pero no decía en Estados Unidos, decía en Costa Rica, o en Puerto Rico, eso ya no sé. Volaban los techos de las casas, parece. Dicen que las lanchas iban de acá para allá por el aire como patos...

–¿Te imaginás que te agarre una lancha de esas en la cabeza?

–No me quiero ni imaginar... ¡Qué frío que hace!

–Tremendo. Yo igual ni lo siento.

–Te preparé esto –dijo Rosa alcanzándole el tupper de todas las mañanas–. Son dos patas de pollo, y te puse unas papas a la crema también...

–Gracias, mi amor. Bueno, me voy yendo, ya son más de las ocho...

–¿Llegaste bien anoche?

–Perfecto. ¿Y vos?

–Yo me dormí enseguida.

–¿No miraste la tele?

–Sí, pero no había nada. La apagué y ni había apoyado la cabeza en la almohada que ya me había dormido. A las papas les puse un poco de pimienta...

–Con lo ricas que te salen...

–Bueno, andá, no llegues tarde.

–Te veo después.

María le dio un beso, le guiñó un ojo y empezó a caminar hacia la obra.

Hasta ahí era un día totalmente normal. Los problemas empezaron apenas María llegó a la obra. Se cruzó con Israel y el portero, que salían de hablar con el capataz. Israel y el portero pasaron a su lado sin mirarlo y se fueron apurando el paso.

–María –lo llamó el capataz–, vení un segundo que te quiero hablar.

El capataz se apartó de los demás, para hablar a solas con María. Apoyó un pie en el suelo y encajó una nalga en el borde de un piletón. María ya estaba a su lado, pero el capataz se tomó un tiempo para sacar el paquete de cigarrillos del bolsillo de la camisa, se llevó uno a los labios, se palpó los bolsillos del pantalón y de la campera en busca de los fósforos, y al final dijo:

–¿Tenés fuego?

–No fumo.

–¡Ricciardi! –llamó.

Ricciardi pasaba por ahí cargando una bolsa de cemento.

–Dame fuego.

Ricciardi se acercó, todavía con la bolsa al hombro. Por señas, le indicó que tenía fuego en el bolsillo de atrás del pantalón; la bolsa pesaba tanto que no podía abrir la boca.

El capataz le palpó el bolsillo con cierta aprehensión, pero no encontró lo que buscaba, así que Ricciardi giró ofreciéndole el otro bolsillo. El capataz repitió la operación sin encontrar los fósforos.

–Mirá que te gusta que te metan mano, ¿eh? –comentó.

Ricciardi esbozó una sonrisa con la mandíbula apretada y se puso de frente para que el capataz probara suerte en los bolsillos delanteros. Al final, el capataz palpó una cajita.

–Ahí está –dijo.

Pero antes de meter la mano en el bolsillo de Ricciardi lo miró. Se miraron los dos, en silencio, durante medio segundo como mucho, porque esa era una zona del cuerpo de Ricciardi delicada para meter la mano. Después, por fin, el capataz introdujo cuidadosamente la punta de los dedos y sacó una cajita de preservativos, que volvió a empujar hacia adentro enseguida.

–Pero la puta que te parió, Ricciardi. ¿Tenés fuego o no tenés fuego?

Ricciardi hizo un gesto extraño, un gesto que hubiera sido el de un encogimiento de hombros, de no ser por la bolsa que llevaba encima. El capataz le dijo que se fuera y Ricciardi se alejó de inmediato haciendo eses, cada vez más encorvado. El capataz quedó otra vez a solas con María.

–Vinieron a verme unos señores. Dicen que andás haciendo lío en el barrio... –le dijo.

María lo miraba en silencio.

El capataz continuó:

–Dicen que a uno le dijiste boludo y que al otro le pusiste una mano en el hocico. ¿Es verdad todo eso, María?

–Sí –respondió María tranquilamente.

–¿Y me lo decís así?

–¿Y cómo quiere que se lo diga?

–No sé, decime vos.

–Sí. Le digo que sí. Uno es un boludo y al otro le puse una mano.

–¿Y por qué los provocaste?

–¿Yo? Yo no provoqué a nadie. Ellos me buscaron a mí.

–Y te encontraron –dijo irónicamente el capataz.

–Sí.

El capataz lo miró, mordisqueando el cigarrillo apagado.

–Dejate de joder, María. ¿Vas a decir que yo también te busqué? Porque yo buscarte a vos no te busqué, y el otro día sin embargo casi me tengo que ir a las manos... con vos, basurita. Vamos, no me vengas con pavadas a mí que...

–¿Cómo me dijo?

–¿Cómo te dije qué?

–¿Cómo me dijo recién?

–¿Cuándo?

–Recién.

–¿Qué te dije?

–Eso es lo que le pregunto yo. ¿Por qué no me lo dice de nuevo?

–¿Y qué te dije, a ver?

–Decilo vos.

–A mí no me tuteás. Decime qué te dije pero de usted. ¿Está claro?

–¿Me dijo "basurita"?

–No me acuerdo. Puede ser. No me acuerdo, pero puede ser tranquilamente. ¿Quién carajo te creés que sos vos para andar insultando a la gente? ¿Dónde te pensás que naciste? ¿Qué te pensás que me pasa a mí que soy el capataz acá cuando empiezan a venir los vecinos a decirme que andás haciendo quilombo en el barrio? ¿Y querés que te diga más? Sí, te dije basurita. ¿Por qué, hay algún problema?

–No...

–¿Ah, no tenés problema?

31

–No.

–¿Qué, sos puto?

–Sí.

–Mirá vos.

–¿Por qué, me la querés poner?

–Te dije que a mí no me tuteás. Además llegaste tarde, son las ocho y diez. Estás despedido. Por hacer quilombo en el barrio, por llegar tarde, por tutearme y por puto. Agarrá tus cosas y mandate mudar ya mismo de acá.

María agarró sus cosas y se fue.

3

Ese día llegó a la mansión media hora después que de costumbre. Rosa lo hizo pasar a la cocina: las milanesas ya estaban servidas, recién sacaditas del horno. Había una fuente con una montaña de papas fritas sobre una servilleta de papel y una botella de vino blanco. María colgó el bolso en el respaldo de la silla y se sentó a la mesa.

–Las hice al horno –dijo Rosa, poniendo una milanesa en su plato–. Es la primera vez que las hago así. *Para mí*, porque la señora me las pide al horno siempre. Para mí nunca las había hecho. ¡A ver qué te parecen! ¿Cómo te fue hoy?

–Bien –dijo María.

Cortó una punta de milanesa y se la llevó a la boca.

–Está buena... –dijo masticando–. ¿No prendés la tele?

–¡Ay, sí, uy, me había olvidado! ¿Qué hora es? A las siete en el programa de Chiche Gelblung va a estar ese enanito que mide treinta centímetros. ¿Te das cuenta de cuál te digo?

–No.

Rosa había encendido el televisor y pasaba los canales con el control remoto en busca de Canal 9.

–Lo vi el otro día en "Hola Susana" y parece que hoy va a estar acá. No me lo quiero perder. Mide treinta centímetros, es una cosa de... Ahí está. Bueno, no, este es Chiche... A ver si dice algo.

Rosa se sentó frente a María y comió la mitad de su milanesa en silencio, sin quitar la vista de la pantalla. Chiche Gelblung se refregó mentalmente las manos y pidió a los que estaban mirándolo que no se movieran de allí porque muy pronto iban a ver al hombre más pequeño del mundo. Y hubo un corte comercial. Rosa sirvió unas papas fritas a María y otras para ella.

—Pobrecito... —comentó—, tendrías que haberlo visto... A Susana no le llegaba ni a las rodillas... ¿Te pasa algo?

—No. ¿Por?

—Estás callado...

—Recién llego.

—Sí, ya sé que recién llegás, pero podrías decir algo, ¿no?

—Todo bien.

María se sirvió un vaso de vino y lo bebió de un trago. Después volvió a llenar su vaso y también el de Rosa. Estaba muerto de sed. Mientras se bebía el segundo vaso y empezaba a servirse el tercero, advirtió que hacía más de dos días que no tomaba una gota de líquido.

—¿Hay soda? —preguntó.

Rosa dijo que sí, se levantó, fue hasta la heladera, sacó una botella de soda y la dejó sobre la mesa. María bebió dos vasos llenos hasta el borde, el primero de ellos mezclado con vino.

—¡Qué sed que tenés! —le dijo Rosa.

—¿Viste? Debe ser el polvillo que trago todo el día en la obra... Y encima recién me di cuenta de que hace como dos días que no tomo nada.

—¿Nada?

—Me pasaba de chico también. Podía estar dos o tres y hasta cuatro días sin tomar nada y de golpe no sé, recuperaba. Me tomaba hasta el jugo de las naranjas. Las ablandaba con la mano... las dejaba bien blanditas... les hacía un agujero y me las tomaba... Muchos chicos hacían eso allá en mi pueblo... Había un solo quiosco y quedaba lejos, y además nadie tenía nunca un peso. ¡Nos hacíamos la gaseosa! Bueno, dije algo, ¿viste?

—¿En qué pueblo naciste?

—En Gobernador Castro.

—No conozco...

—¡Qué vas a conocer, si es un pueblo de mierda! Queda al lado de Ramallo. ¿Ramallo te suena?

–No...

–Ramallo también es un pueblo de mierda. No sé cómo decirte dónde queda... Queda a cien quilómetros de Rosario. Bueno, está más cerca de San Pedro. A San Pedro sí lo conocés...

–¿Pasando Rosario?

–No, antes. Para este lado. Antes de llegar a Ramallo, como cincuenta quilómetros antes. Yendo para Rosario a ciento cincuenta quilómetros de acá. Gobernador Castro está a ciento setenta.

–Ah... –murmuró Rosa, tratando de descifrar la información.

–Sí –apoyó María.

–Yo pensé que habías nacido en Capilla...

–No, ahí me mudé de chico, pero no. Nací en Castro. Puta madre cómo me duele esta mano...

–¿Qué pasó, te golpeaste?

–Sí. Me la doblé.

–¿Te la golpeaste o te la doblaste?

–Me la golpeé.

–¿Y cómo te la doblaste?

–No sé, se me debe haber golpeado levantando algo. En el momento no me di cuenta, pero ahora me duele hasta el cabello.

–Tomá, servite otra. ¿Querés que te corte?

–No, dejá, puedo.

–Me da vergüenza decirte, pero... anoche soñé con vos. Ibas arriba de un caballo blanco, con una espada en la mano...

–Con San Martín soñaste...

–No, en serio. Ibas desnudo.

–En pelo.

–En pelotas, sí.

–En pelo, digo, montado en pelo.

–¡Ah, sí! ¡Perdón! Mirá lo que me hacés decir... –se ruborizó–. Ibas desnudo en el caballo con la espada en la mano. Y la espada y tu... bueno, sí, tu... pito, y el cuello del caballo, todo estaba lleno de nervios, de venas... Te juro que me desperté.

–¿Tenés siempre sueños eróticos?

–No. Anteanoche soñé que iba a mirar vidrieras. Miraba vidrieras a lo loco, entraba a un local y me compraba un montón de ropa y después me iba a la peluquería y me hacía los claritos.

Se hizo un silencio. Rosa lo miró.

–¿En serio no pasa nada?

María negó con la cabeza y Rosa no insistió. Habían mantenido la conversación mirando de reojo el programa de Chiche Gelblung, para ver si aparecía el enano. Pero el conductor se regodeó con otra clase de deformidades sin que el enano apareciera nunca, aunque lo prometía antes de cada corte comercial. Antes del último corte, el de la despedida, Gelblung empezó a disculparse porque el tiempo le había jugado en contra y prometió un programa especial para el día siguiente dedicado por entero al hombre más pequeño del mundo. Pero Rosa apagó enojada antes de que Gelblung terminara la promesa y fue a sentarse sobre las piernas de María. Le echó los brazos al cuello.

–¿Sabés qué es lo que más me gusta de vos? –le dijo.

María negó con la cabeza.

–Que sos misterioso. Tan callado... Parece que te guardaras siempre algo...

Y acercó sus labios a los labios de él. Pero un centímetro antes de besarlo se detuvo y se quedó allí como congelada, con los ojos abiertos y las pupilas apuntando hacia la calle.

–¿Qué pasa? –preguntó María.

Rosa lo hizo callar con un rápido chistido.

Bajó sus piernas de un salto y corrió hasta la ventana.

–¡Dios mío!

–¿Qué hay?

–¡Los señores, llegaron los señores! ¡Están abriendo la puerta! ¡La puta madre! ¿Qué hago? ¡Si te ven acá adentro me matan!

María fue a mirar por la ventana. Rosa tenía razón: había un hombre inclinado sobre la cerradura, tratando de embocar la llave. A su lado había una mujer. La mujer empezó a tocar el timbre.

–Escuchame, tranquilizate, yo sé lo que hay que hacer. Rosa, oíme, tranquila... Respirá hondo... Yo me escondo acá atrás de la mesada, vos les abrís, ellos entran y yo agarro las llaves y salgo y después te las tiro por arriba de la reja. Es muy fácil. Respirá hondo, tenés que disimular bien. Si te ven nerviosa te apretan y te sacan hasta el sueño que me contaste recién. Respirá. Eso... Muy bien... Ahora yo me escondo y vos andá a abrir...

–¡Los platos! –chilló Rosa.

–Yo me encargo, vos abrí. ¿Son de quedarse acá en la cocina cuando llegan?

–¡No entran nunca por acá, no sé qué pasó!

–Deben haber perdido las llaves de la entrada principal.

–Puede ser... ¡Mi Dios, tenían que volver la semana que viene...!

–¿Viste? El tifón que decías fue ahí...

El timbre seguía sonando, cada vez más insistentemente. María empujó a Rosa hasta la puerta. Después agarró su plato, lo echó en el lavaplatos y se escondió detrás de la mesada.

Rosa regresó con el señor y la señora Blinder, cargando sus valijas. La señora le preguntaba por qué se había demorado tanto en atender. Rosa le dijo que estaba en su dormitorio arreglando unas cosas. El señor Blinder empujó la puerta de la cocina y se perdió en el interior de la casa, mudo y malhumorado.

4

Una de las primeras cosas que le llamó la atención fue la nitidez con que los sonidos de la calle se metían en la casa; a determinadas horas de la noche podía oír hasta el golpeteo de las uñas de un perro en la vereda. A medida que fue descubriendo la casa por adentro, recordó sorprendido cuánto más chica de lo que era en realidad le había parecido mirándola desde afuera. Y no porque estuviera sobrecargada de muebles y de objetos, sino por la sencilla razón de que desde afuera podía abarcarla de un vistazo, algo que era imposible hacer desde adentro.

Se había instalado en el último piso, en la mansarda, donde se sentía más oculto. La primera noche no durmió. La segunda noche, por temor a que alguien entrara, durmió debajo de la cama. La llave estaba en la cerradura, pero le llevó más de un día decidir que podía cerrar la puerta y quitar la llave: si alguien, por cualquier motivo, iba a la habitación y descubría que la puerta estaba cerrada, seguramente pensaría que alguien de la casa la había cerrado; buscarían la llave, no la encontrarían, llamarían a un cerrajero y quizá hasta desistirían de entrar. ¿Qué podían ir a buscar a esa habitación? No había nada aparte de una cama con un colchón y un armario vacío.

En sus primeras noches en la casa tuvo, sin embargo, menos prevenciones de las que tuvo Rosa cuando empezó a trabajar allí. Rosa, a pesar de haber sido recibida con un decálogo de obligaciones y prohibiciones, que de algún modo resolvieron su servicio y su tiempo libre, se había sentido perdida, empequeñecida y asustada. Pero una vez que aprendió dónde estaba la cera o la tabla de planchar y en qué cajón del armario iban los calzoncillos del señor y las blusas de la señora, se sintió más a gusto, familiarizada con el funcionamiento general de la mansión.

Hacía ya dos años que estaba allí. Y en ese tiempo no había hecho nunca nada inconveniente. Unos días después de la imprevista llegada de los Blinder, sin embargo, su carácter empezó a cambiar: se volvió taciturna, distraída, andaba siempre con los ojos brillantes, al borde del llanto, retorciéndose las manos. No había vuelto a tener noticias de María.

Hacía tres días que no sabía nada de él, desde el martes. El miércoles lo esperó con un sándwich de milanesa envuelto en papel madera: pensaba dárselo en la vereda, para que María se lo comiera en el colectivo; ahora que los Blinder estaban de regreso, sus encuentros con él volvían a limitarse a la puerta de calle. Pero María no apareció. Rosa supuso que debía estar un poco nervioso todavía por la llegada de los Blinder, que habían estado a punto de sorprenderlo allí adentro, y que por eso había preferido dejar pasar unos días antes de ir a verla de nuevo. El jueves tampoco fue. Rosa empezó a preocuparse. El argumento de que María había preferido dejar pasar unos días antes de ir a verla funcionaba a futuro solo para ese día.

El viernes, a su regreso del Disco, pasó por la obra. Alguien le dijo que no estaba, que hacía varios días que no iba. Notó que el clima estaba espeso, pero no supo a qué atribuirlo.

Se estaba yendo cuando un peón que entraba cargando un balde de arena se le acercó y le dijo que a María lo habían echado.

–¿Cómo? ¿Cuándo?

–El martes.

–¡No sabía nada...! ¿Cómo que lo echaron?

–Y sí, lo echaron.

–No me dijo...

–Disculpe –murmuró el peón y se alejó con su balde: el nuevo capataz había salido de una casilla de tablas a encender un cigarrillo y, como una fiera, lo miraba fijo por entre el humo.

Esa misma tarde fue a verla la policía. Eran dos, un hombre alto con un bigote negro y duro como un escobillón en miniatura, y un muchacho joven, de pelo largo, vestidos ambos de civil. Los atendió ella, en la puerta principal. Los policías le hicieron un millón de preguntas sobre María. Querían saber dónde vivía, su número de teléfono, si había estado el martes allí con ella, etcétera. Rosa no sabía la dirección de María. Les dijo que vivía en Capilla del Señor y que no tenía teléfono. El martes había estado con ella, sí. ¿Le había pasado algo?

–Se lo tragó la tierra, parece –le dijo irónicamente el hombre del bigote.

Rosa quedó desolada. Agradeció que en ese momento no estuvieran en la casa ni el señor ni la señora, porque aunque siempre hablaban bien de la policía, odiaban tenerla cerca. Algunos años atrás la policía había matado a un ladrón frente a la casa, habían vallado la vereda y habían permanecido allí durante una hora o más, hasta que por fin se decidieron a retirar el cuerpo; en el ínterin, uno de los policías tocó el timbre para pedir un vaso de agua... La señora Blinder vivió ese pedido como un escándalo, porque en la cuadra había una decena de lugares más apropiados, más accesibles para satisfacer algo tan elemental como la sed. Habían pasado varios años de eso y todavía hoy la señora Blinder mencionaba de tanto en tanto el asunto del vaso de agua. La señora no le perdonaría que la policía hubiera ido a la casa para hablar con ella de su novio.

Pero ¿por qué lo buscaban? ¿Qué había ocurrido con María? ¿Dónde estaba?

Lo peor de todo era que no tenía con quién hablar, nadie a quien confiar su desconcierto. Está bien, lo habían echado del trabajo y por lo visto no se había animado a decírselo, pero ésa no era razón para desaparecer así? ¿Estaría enfermo? Eso podía ser, a lo mejor estaba enfermo. Si no estaba enfermo, ¿por qué iba a desaparecer? ¿No era casi obligatorio para él, si la causa de su desaparición era la vergüenza de haber sido echado del trabajo, pensar que ella en algún momento se iba a dar una vuelta por la obra para ver qué le había pasado y que allí se enteraría de todo? Estaba enfermo.

Y no se equivocaba: María tenía fiebre. Tendido en el colchón del cuarto que ya había hecho suyo, temblaba de frío. Hacía horas que no se movía. Tenía los dedos índice y medio de la mano izquierda envueltos en una tela de araña sobre la que se había apoyado sin querer en la mañana, al levantarse para ir al baño. Estaba débil. Para ponerse de costado en la cama debía hacer un gran esfuerzo; además, aunque el colchón era de buena calidad, un viejo colchón de resortes, las maderas de la cama crujían y temía que alguien lo oyera, así que permaneció durante horas absolutamente inmóvil. Por otra parte, hacía más de dos días que no probaba bocado. Las persianas del cuarto estaban cerradas y, de no ser por el sonido, no hubiera sabido si era de día o de noche.

Apenas se sintió un poco mejor, volvió al baño. Había descubierto un baño la noche anterior, en un paseo temeroso y muy osado, una salida de reconocimiento del terreno que lo llevó a cubrir buena parte de la mansarda; el baño también parecía abandonado, al igual que el cuarto donde se había instalado. Estaba limpio (Rosa debía limpiarlo de tanto en tanto), pero era evidente que estaba fuera de uso. En ese paseo intentó abrir varias de las puertas que encontró en el camino: la mayoría estaban cerradas con llave; otras daban a más cuartos vacíos, y una a un desván o depósito en el que se apilaban toda clase de cosas, desde ropa vieja en bolsas de nailon hasta juguetes.

Ir de cuerpo y orinar era toda una aventura. Dejaba la puerta abierta, tal como la había encontrado, para que si alguien aparecía de pronto no advirtiera ninguna variación, en caso de que tal cosa fuera posible, y también para escuchar y tener tiempo de salir y ocultarse. El problema llegaba en el momento de tirar de la cadena, una operación que le llevaba mucho tiempo; era un inodoro antiguo, con un depósito de agua separado de la taza (ubicado en el ángulo que formaban la pared y el techo), del que salía una cadena que terminaba en un manguito de madera y del que él tiraba milimétricamente, hasta que empezaban a correr los primeros hilos de agua. Con esos hilitos de agua, un caudal equivalente al de una pérdida, María lavaba

41

todo rastro, y lo hacía tan pacientemente que ni él mismo alcanzaba a oír nada.

A veces, de una manera increíble, una gota de agua se desprendía de la debilidad general del chorro y salpicaba el borde de la taza, o él mismo, al orinar, mojaba la tapa, así que debía limpiar todo cuidadosamente (con papel, con el puño de la camisa) antes de abandonar el baño.

Hasta la noche del jueves, cuando decidió incursionar en la cocina, se mantuvo siempre en el cuarto, excepto por sus idas al baño y por aquella primera salida de inspección. No había alterado nada, no había dejado ningún rastro de su presencia: cada cosa seguía en su lugar.

Volaba de fiebre, así que pasó los primeros días acostado; se había puesto la camisa de trabajo encima de la camisa de calle y se cubría con el pantalón y hasta con el bolso, pero igual temblaba: al frío de comienzos de primavera había que sumarle el frío de la casa y el frío de la fiebre. Sin embargo, en ningún momento sintió que estuviera cerca de abandonar. Todo lo contrario: debía reponerse, tenía que alimentarse.

El jueves a la noche bajó a la cocina. La mansión tenía cuatro plantas y él no conocía ni siquiera el piso en el que estaba, pero llegó a la cocina mucho más rápido de lo que había pensado. Iba descalzo, había dejado los zapatos en el bolso debajo de la cama. En ciertos sectores de la casa no veía absolutamente nada; en otros, la luz de la noche que se colaba por las aberturas, o la luz de un farol del jardín que era siempre encendido apenas oscurecía, le permitieron ver parte del recorrido, aunque no por eso se sintió más seguro. Después de todo, ¿qué veía? Cuadros, espejos, alfombras.

El reloj en la pared sobre la puerta de la cocina marcaba las tres de la mañana. Abrió la heladera; la luz le dolió y lo hizo parpadear. Volvió a cerrarla. ¿Qué se podía llevar sin que al otro día Rosa notara que faltaba algo? En el suelo, junto a una silla, vio una bolsita de nailon que había sido abollada un momento atrás y que aún seguía descomprimiéndose lentamente, como una flor. La agarró y empezó a desplegarla: era una bolsa de Disco y era notable el ruido que hacía. María aprovechó el paso de un auto para abrirla de golpe. Después puso en el interior de la bolsa un pan que tomó de la mesada, abrió la heladera y agarró un poco de cada cosa, sin saber muy bien qué.

Al girar para irse, miró de nuevo el reloj: no eran las tres de la mañana sino las doce y media. Había estado quince minutos en la cocina; el reloj indicaba las doce y cuarto cuando entró (no las tres). Se asustó: era demasiado temprano, podía haber alguien despierto todavía. Salió de la cocina crispado y más alerta que nunca y subió por la escalera de servicio saltando los escalones de tres en tres.

En el primer piso se detuvo a respirar. Sentía en las manos los latidos del corazón. Tenía que seguir adelante por el pasillo hasta la próxima escalera, por la que subiría dos pisos más hasta llegar a la mansarda. Reanudó la marcha, pero a mitad de camino oyó un llanto débil y entrecortado en la oscuridad. Se detuvo, más que nada por temor a toparse de repente con la persona que lloraba, e incluso retrocedió unos pasos, pero enseguida notó que el llanto venía de un cuarto frente al que se había detenido luego de su retroceso y apoyó cuidadosamente una oreja en la puerta. Era Rosa. Lloraba con la cara hundida en la almohada: un llanto apagado, desgarrador pero apagado, que se interrumpió de pronto, apenas María terminó de apoyar la oreja en la puerta.

Dos segundos después Rosa asomó la cabeza en el pasillo. La luz del velador en la mesita de luz la recortó como a una sombra. No había nadie. Rosa se sonó la nariz y volvió a entrar.

En ese momento, con la frente en llamas y los pies helados, María se deslizaba escaleras arriba en dirección a la mansarda. Ya en su cuarto, mientras comía, pensó, con cierta lógica, que Rosa hundía la cara en la almohada porque sabía que podía ser oída. Además, había ido a llorar a otro cuarto. ¿O estaba allí haciendo alguna tarea y, de pronto, se puso a llorar? Había una pregunta más importante que esa: ¿tan cerca estaba el cuarto de Rosa del cuarto de los Blinder, para que ella hundiera la cara en la almohada? No. Rosa dormía en el ala este y los Blinder en el ala norte de la planta baja. Pero María no lo supo hasta varios días después. Por el momento –al día siguiente– iba a enterarse, y nada menos que de boca de la señora Blinder, de que la policía había estado allí preguntando por él.

Esa mañana se despertó sintiéndose mucho mejor. Había comido exactamente un pan, cinco aceitunas, una feta de jamón crudo, la mitad de una cebolla (también cruda) y una manzana. Lo despertaron los ruidos de la calle, difuminados como un dibujo en el silencio de la casa, o combinados con él. ¿Cuanto hacía que estaba allí? Tres días, dos noches, calculó. Quizá cuatro días y tres noches. Todavía en posición fetal sobre la cama, pensó que ya era hora de irse. Después, cuando se puso de pie, consideró la posibilidad de quedarse un poco más, quizá otro día. ¿Adónde podía ir? No había un solo lugar en el que pudiera esconderse...

Ya no tenía fiebre, aunque le dolían un poco los huesos y las articulaciones. Notó que la puerta del cuarto no emitía el más mínimo sonido incluso si la abría de golpe, como había supuesto hasta ese momento.

Salió. El piso estaba inundado de una claridad dudosa, pero por primera vez tuvo una panorámica del lugar en el que estaba. Lo recorrió lentamente, observando la distribución de cuartos y pasillos y de cada objeto con el que hubiera podido tropezar en sus salidas anteriores, o con el que podía tropezar en adelante.

Bajó un piso. Si la mansarda permanecía inhabitada, el tercer piso le dio la impresión de ser un sitio de paso; quizá era allí donde los Blinder alojaban a sus huéspedes, si es que alguna vez los tenían. Todas las ventanas estaban cerradas, pero no faltaba ninguna de las cosas necesarias para que alguien pudiera sentirse a sus anchas: alfombras, chimenea, un carrito con bebidas alcohólicas, una biblioteca, un teléfono, un televisor... Las camas no tenían sábanas, estaban cubiertas con una manta, y el aire de los cuartos era seco y fresco, como si fueran ventilados a diario. Allá y aquí, en las paredes de la sala, había retratos al óleo de hombres y mujeres, todos muy serios, enmarcados en dorado. La escalera principal desembocaba muy cerca de la chimenea. María avanzó en la dirección opuesta, siguiendo un corredor que lo llevó hacia el ala de servicio, donde pasó junto a varios cuartos vacíos, de dimensiones muy reducidas; eran los cuartos de la servidumbre, que muchos años atrás debió ser un personal completo, con ama de llaves y mayordomo. ¿Por qué, entonces, Rosa dormía en la planta baja y no allí?

Mientras bajaba, supuso que toda la mansión debía haber sido reestructurada en función de la disminución del número de sus ocupantes. La habitación que ocupaba Rosa debió haber sido la que tiempo atrás ocupara el ama de llaves o el mayordomo. Las comodidades del segundo piso eran muy similares a las del tercero, aunque la decoración era bastante más espesa, casi barroca. En la sala de estar había una profusión notable de mesas, mesitas, banquitos, sillones, butacas.

Se acercó a una mesa repleta de portarretratos y se inclinó para mirar las fotos de cerca: en todas se repetía una mujer rubia, de unos cuarenta años de edad, siempre con la misma sonrisa, aunque con un peinado distinto en cada foto; a veces la mujer estaba sola y a veces aparecía junto a un hombre de su edad: probablemente su esposo, o quizá su hermano. Había otros dos hombres de entre treinta y cinco y cuarenta y cinco años y muchos chicos rubios sonrientes o serios, de saco y corbata o en traje de baño, siempre los mismos chicos a distintas edades y en distintos lugares, desde la iglesia a la playa. Uno de los dos hombres aparecía solo y en una única foto; incluso el portarretratos daba la impresión de ocupar un lugar poco destacado en la mesa. En la última foto que miró aparecían todos (excepto el hombre de la única foto) uno al lado del otro por detrás de un señor y una señora sentados en sillas de mimbre, ambos vestidos con toda elegancia... Entonces oyó el chisporroteo de una voz en el primer piso. Se acercó a la escalera.

La señora Blinder acababa de enterarse de la visita de la policía. Israel la había detenido en la calle un momento atrás y, maliciosamente, se había mostrado inquieto por "el caso del novio de Rosa". Alarmada, la señora Blinder se llevó una mano a la boca.

—¡Dios mío, Rosa, parece que tu novio mató a una persona!

A Rosa se le doblaron las rodillas. La cabeza le dio vueltas.

—¡Dicen que mató al capataz de la obra donde trabaja! ¿Cuánto hace que no lo ves? ¿Por qué no me dijiste que había venido la policía? Rosa, ¿me oís?

—No puede ser...

Rosa se puso a llorar.

—¿Qué vamos a hacer ahora? Está todo el barrio comentando el caso. ¿Cuánto hace que no lo ves?

—Tres o cuatro días... —dijo Rosa.

—¿Por qué no me dijiste que había venido la policía?

—Me asusté, señora...

—¿La policía viene a *mi* casa, para verte a vos, y vos no me decís nada?

—Tuve miedo, señora...

—Insólito. ¿Qué voy a hacer con vos?

—Perdoneme, señora, por favor. No sabía nada.

—¿No sabías nada sobre qué?

—Sobre nada, señora.

—¡Qué espanto, noviando con un asesino! ¡Te venía a ver, le abrías la puerta...! —se persignó—. Yo lo vi en dos o tres oportunidades, de lejos, y no me gustó. Ya me parecía a mí. ¿Y ahora?

—No sé, señora. Yo pienso que no puede ser, debe haber algún error...

—¿Y me decís que no lo viste más?

Rosa juró besándose los dedos en cruz. Después volvió a llorar.

—¿Y por qué no lo viste más? ¿Te contó algo de lo que hizo?

—No, señora.

—¿No sabías nada vos?

—Nada, señora.

—¿Seguro?

—Sí, señora, pero no puede ser: él es incapaz de matar una mosca, es un hombre muy bueno...

La señora Blinder permaneció un momento en silencio, con la cabeza llena de ideas contrarias. Finalmente pareció desecharlas todas, suspiró y salió de la sala caminando rápido. Rosa se sentó en el borde de un sillón y hundió la cara entre las manos. María se apartó y empezó a subir la escalera, pensativo.

5

Al cabo de la segunda semana conocía los ruidos de la casa como si hubiera vivido siempre allí. Algo similar ocurría con el espacio y con la ubicación de las cosas que necesitaba para su supervivencia. De cualquier manera, en cuanto a los ruidos que él mismo hacía, conservaba todavía un cierto grado de temor inicial, ya injustificado, pero del que le costaba desprenderse; para abrir ciertas puertas, por ejemplo, se tomaba más tiempo del que en realidad necesitaba: las abría milímetro a milímetro, aun sabiendo que si la puerta crujía no sería escuchada por nadie. Incluso dormido cambiaba cuidadosamente de posición en la cama.

Sus prevenciones, combinadas con su agilidad natural, lo hacían desplazarse en la oscuridad con la sutileza de un fantasma. Más que un fantasma, en realidad, parecía una imagen de cine mudo proyectada hacia afuera de la pantalla, una imagen familiarizada con las distancias, provista de un radar extra que en los momentos de distracción, cuando estaba a punto de llevarse por delante un florero o de tropezar con el borde de una alfombra, lo alertaba y hasta parecía desmaterializarlo o disolverlo.

Sabía que no podía descuidarse ni alterar en lo más mínimo el orden de las cosas de la casa. Era consciente de que nadie advertiría que la tijera o la toalla no estaban en el mismo sitio o la misma posición que la semana anterior, pero se cuidaba de dejar siempre todo tal como lo había encontrado. Alguna vez se despertó sobresaltado en mitad de la noche y salió corriendo del cuarto para cerrar la puerta del baño, que había olvidado abierta, pero en general no cometía errores: llevaba un registro minucioso y exhaustivo de la ubicación y posición en que había encontrado cada objeto y lo respetaba sin dudar, de manera casi inconsciente.

Ese registro, por otra parte, se renovaba a distintas frecuencias de arriba hacia abajo: muy de tanto en tanto en la mansarda, semanalmente en el tercer y segundo piso, y a diario en el primer piso y en la cocina, de acuerdo a las incursiones de limpieza de Rosa. La planta baja era todavía un territorio absolutamente desconocido para él. Lo evitaba; cada noche, al bajar a la cocina, lo hacía por el ala de servicio. Estaba seguro de que no había ninguna posibilidad de encontrarse allí, de pronto, con el señor o la señora Blinder; podía apostar su cabeza a que los Blinder ni siquiera habían puesto alguna vez un pie en esa parte de la casa. Y cada noche, al bajar, se detenía un momento frente a la puerta del cuarto de Rosa. En general no oía nada, porque iba a la cocina muy tarde en la noche, pero a veces la oía toser, o caminar de un lado a otro, insomne, ordenando el cuarto, o mirando televisión. Una vez la oyó masturbarse.

La extrañaba. En más de una oportunidad consideró la posibilidad de revelarle que estaba allí, pero no creyó que el amor de Rosa por él llegara a tanto. Rosa se asustaría, pensaría que estaba loco. Habría sido un extremo de complicidad muy difícil de aceptar o de sobrellevar, y más que nada sabiendo que él era el principal sospechoso de un crimen.

Empezó a mantener diálogos imaginarios con Rosa. Al principio eran diálogos breves, del tipo "pregunta y respuesta", referidos en general a situaciones o hechos de la más estricta cotidianeidad. Después, cuando terminó por aceptar que Rosa no tenía la culpa de que él no pudiera confiarle que estaba escondido allí y archivó para siempre la ilusión de convertirla en su cómplice, los diálogos se hicieron más largos y más amables. Solía hablar con ella mientras comía, mientras leía, y a veces también cuando se acuclillaba junto a la ventana o junto al aire y luz para recibir en la cara un poco de claridad.

En la biblioteca del segundo piso había cientos de libros de toda clase, desde novelas de aventuras hasta libros de medicina. María cerraba la puerta de su cuarto con llave, cubría la ranura al pie de la puerta con su camisa, encendía el velador y leía hasta quedarse dormido. A veces tenía que dar vuelta las páginas hacia atrás y retomar la lectura, porque en realidad se la había pasado hablando con Rosa mientras sus ojos seguían por inercia las líneas del libro. Le llamaba la atención que Rosa no leyera nunca nada, con tantos libros que había en la casa. En sus ratos libres no hacía otra cosa que mirar televisión.

–Es que leer da más trabajo que mirar televisión –le decía ella.

–¿Por qué? Si para leer lo único que tenés que hacer es estar sentado o acostado, igual que cuando mirás TV.

–Pero tenés que usar la cabeza.

–¡Mentira! Se puede leer perfectamente sin pensar.

Rosa se masturbaba mucho. No en las primeras semanas después de su desaparición, durante las que estuvo más bien triste, sino a partir de cierto momento en el que pareció haber aceptado que María no volvería más. En uno de sus diálogos imaginarios con ella, María "se enteró" de que Rosa lo seguía amando, aunque ya no tenía ninguna esperanza de volver a verlo. Rosa le dijo que no lo creía capaz de matar a nadie, y él la abrazó en silencio y, sin soltarla, le contó que aquel día, cuando llegaron los Blinder, hizo exactamente lo que le dijo que iba a hacer: esperó a que los Blinder entraran, salió de su escondite en la cocina, abrió la puerta reja de calle y de pronto entendió que no tenía adónde ir, así que cerró la puerta, dejó la llave del lado de adentro, como si la hubiera arrojado desde afuera, y volvió a meterse en la casa.

–¿Por qué decís que no tenías adonde ir? –le preguntó Rosa–. ¿Y tu casa?

–Mi casa... Rosa, yo con ese capataz me llevaba mal. Nadie me hubiera creído que no lo maté... La policía me hubiera ido a buscar a mi casa y ahora estaría preso, quién sabe hasta cuándo. Prefiero toda la vida estar acá.

Silencio.

–Te quiero –le dijo Rosa, y se disolvió.

Se masturbaba pensando en él. Y él solía espiarla. Rosa se masturbaba en su cuarto o en el baño, entre las diez de la noche y la una de la mañana, casi a diario. (En una sola oportunidad María la sorprendió masturbándose a la hora de la cena, después de servirle a los Blinder un plato de sopa y hasta un momento antes de que la llamaran para que sirviera el plato principal.)

La masturbación ocupaba buena parte del tiempo libre de Rosa, casi a la par de la televisión. Podía estar una hora o dos acariciándose; a veces, incluso, empezaba en el baño, debajo de la ducha, y terminaba en el cuarto. María, inclinado sobre el ojo de la cerradura, se masturbaba con ella. Estaba fascinado con la gran variedad de técnicas y de utensilios que utilizaba Rosa. A veces se enjabonaba y se acariciaba hasta que la espuma adquiría la consistencia de una crema; entonces agarraba un envase de desodorante de punta redondeada, se acuclillaba en la bañera, abría la ducha y (María no alcanzaba a verlo, aunque no hacía falta) introducía la punta del envase entre sus piernas mientras el agua le golpeaba la espalda, enjuagándola. A veces se limitaba a sentarse encima del chorro del bidet, pero no desnuda sino vestida, con la bombacha en los tobillos y la pollera del uniforme apenas recogido, como si tuviera poco tiempo.

La impudicia de Rosa era algo que María tenía muy presente. Ya la primera vez que hicieron el amor, en aquel hotelito del Bajo, Rosa se había comportado de una forma absolutamente desconocida para él, con una libertad enorme, insólita. A lo largo de su vida María se había acostado con muchas putas (también tenía la experiencia de la virgen, por decirlo así), pero ninguna le había ofrecido la combinación de ardor y de inocencia que le ofrecía Rosa. Todo estaba permitido, desde la ternura hasta la lascivia y la degradación.

Rosa era tan feliz que por momentos resultaba desconcertante. Solía hacer chistes, como si el sexo fuera más que nada un juego; le hacía chocar los testículos con un dedo, le agarraba el miembro y lo movía hacia adelante y hacia atrás como si se tratara de la palanca de

51

cambios de un auto, e incluso emitiendo un sonido de motor con la boca. Y se reía como una idiota (adorable) cuando María la sujetaba de la muñeca y le dirigía una mirada fulminante.

No le extrañaba que Rosa se masturbara con esa frecuencia. Lo que le resultaba extraño era que a veces llegaban juntos al orgasmo, cada cual a un lado de la puerta. Entonces María se apartaba rápidamente de allí, con la palma de una mano hacia arriba, ahuecada. Un instante después Rosa salía del baño, entraba a su cuarto y se ponía a mirar televisión. María se limpiaba la mano en la parte de abajo del colchón y se quedaba largo rato pensando en ella. Era eso o la cárcel. No había mucho que pensar.

6

Hacía gimnasia. Elongaciones, flexiones, abdominales, una rutina completa. Su abdomen, de por sí fibroso, parecía ahora una tabla de lavar. La fuerza de los brazos se había duplicado. El trabajo en la obra era el único esfuerzo físico que había hecho antes de meterse en la casa; ahora, por necesidad, pero también porque no tenía otra herramienta, cultivaba cada músculo como si fuera una magnolia.

Decir que leía, se masturbaba y hacía gimnasia "en su tiempo libre" puede sonar disparatado, pero lo que presupone es razonable: realmente tenía mucho trabajo; alimentarse y satisfacer sus necesidades biológicas básicas eran actividades en las que invertía buena parte del día. En la aventura de bajar desde la mansarda hasta la cocina para robar un poco de comida y volver a subir estaba en juego nada menos que la libertad, su libertad. Y para eso debía dominarse a sí mismo, más que a la casa.

Antes de lanzarse escaleras abajo hacía ejercicios respiratorios para alcanzar un cierto grado de relajación; lo conseguía solo por unos minutos, ya que el estado de alerta reaparecía y se renovaba a cada paso. Sus incursiones al baño y a la biblioteca del tercer piso eran igualmente riesgosas, lo mismo que sus paseos de distracción. En esas ocasiones solía acodarse a la baranda de la escalera del primer piso para oír alguna conversación en la planta baja mientras se mondaba los dientes con una pajita de escoba, y tomaba un poco del sol que entraba por alguna ventana. Pero en el fondo no sentía ninguna ansiedad por la ocupación del tiempo: estaba fuera del sistema productivo, le gustaba no hacer nada. No tenía obligaciones para con nadie, no debía cumplir órdenes ni preocuparse más que por no ser descubierto.

Las descargas de adrenalina ante las situaciones de riesgo, no obstante, le proporcionaban una cierta dosis de placer y por momentos hasta convertía una necesidad en un entretenimiento. Lavarse, por ejemplo. Hacía alrededor de veinte días que estaba en la casa y nunca se había lavado. En la obra, o en su propia casa, se duchaba a diario; aquí no podía ni soñar con meterse bajo la ducha. Pero de alguna manera debía lavarse: le picaba todo el cuerpo, a veces ni siquiera podía dormir bien.

El circuito de radiadores de la calefacción funcionaba solo en la planta baja y en el primer piso. Pero, en tanto que el segundo piso se mantenía más o menos tibio por el ascenso del aire caliente, el tercer piso estaba frío y la mansarda helada. Decidió lavarse en alguno de los baños de abajo. Esa noche, como todas las noches, tomó su cena de la cocina, la dejó en su cuarto y bajó un piso hasta el baño del ala norte (revestido en mármol negro, con incrustaciones de acero inoxidable). Se desnudó, se metió en la bañadera, llenó la esponja de agua y se lavó de arriba abajo. El agua estaba muy fría y no había encontrado un jabón por ninguna parte, pero una vez que terminó se sintió mucho mejor: tiritaba renovado.

Secó la bañadera con la esponja, la dejó en el mismo lugar donde la había encontrado, se vistió y subió a su cuarto. Un momento después, mientras comía, se dio cuenta de que no tenía la menor idea de qué día era. No había llevado la cuenta de los días. Eso hizo que se sintiera un poco perdido. A partir de esa noche se prometió llevar la cuenta de los días. Había matado al capataz un martes 26 o 27 de septiembre. Calculó que estaba en la casa desde hacía veinte días, así que ahora debía de ser el 13 o 14 de octubre. Al día siguiente robaría un lápiz y una hoja de papel para anotarlo.

Comió una pata de pollo, un pan y un tomate y se echó boca arriba en la cama, con los brazos en asa debajo de la nuca. Pensaba sin emoción en el hecho de que tres días después de haber matado al capataz debió haber cobrado su quincena de trabajo (y que aquel día, además, se había dejado el Rolex colgado de un clavito) cuando de pronto oyó un ruido en el cuarto. Se quedó inmóvil.

Por un instante consideró la posibilidad de que hubiera movido una pierna sin darse cuenta y de que ese movimiento fuera la causa del ruido. Pero enseguida notó que el ruido venía desde la puerta. Se alarmó, todavía inmóvil. Quizá había alguien del otro lado. Volvió a oírlo. Era un ruido muy parecido al que hacen las hojas de un libro o un cuaderno cuando son pasadas una tras otra. A lo mejor el señor o la señora Blinder habían subido a buscar un viejo cuaderno al desván y, cualquiera de ellos que fuese, se había detenido casualmente a hojearlo junto a la puerta. Entonces se levantó y lo oyó mejor: había algo en el interior del cuarto.

Debían ser las dos o las tres de la mañana. Entreabrió apenas la persiana y con la luz de la calle alcanzó a ver una rata que corría a ocultarse debajo del placard. María se quedó allí parado, con la mano en la persiana, pensativo. ¿Cómo había entrado? Quizá había dejado la puerta mal cerrada cuando fue a lavarse y la rata se había colado en el cuarto. Cerró la persiana, entreabrió la puerta, se acuclilló junto al placard y golpeó apenas el suelo con la palma de las manos. Pero la rata no se movió hasta que María enrolló su pantalón de trabajo y, como si se tratara de un látigo, dirigió un par de golpes hacia la base del placard.

Entonces la rata salió de su escondite corriendo a todo lo que podía, pero no fue hacia la puerta; dio una vuelta en redondo a la cama, pasó por detrás de María y volvió a ocultarse debajo del placard. Era una rata enorme, del tamaño de un zapato. Y estaba aterrada.

María repitió la operación. La vio salir. Esta vez no le pareció tan grande, pero sí más rápida. María se quedó un momento acuclillado junto al placard, mirando y oyendo. Nada. Finalmente se incorporó, cerró la puerta y volvió a la cama. Que la rata hiciera lo que quisiese.

Esa noche, ya limpio, sin hambre, se dio cuenta de que también tenía tiempo para pensar. Y lo primero que pensó fue que nunca había pensado. Un minuto después dormía profundamente.

7

A la mañana del día siguiente, cuando volvía del baño trayendo un jarro con agua para el mate, vio la puerta de su cuarto abierta de par en par. Se le heló la sangre. Retrocedió hasta el desván, a diez o doce metros de distancia frente al cuarto. Desde allí vio a Rosa que abría la ventana. No llevaba puesto el uniforme de mucama: estaba vestida con un jean y una remera y tenía una franela sobre un hombro. Junto a la puerta había una aspiradora.

Se sintió perdido. Había cometido el error de salir del cuarto sin llevar su bolso con él, como había hecho siempre excepto en las noches. El bolso estaba debajo de la cama y apenas Rosa pasara la aspiradora por allí lo descubriría. Pero eso no era todo: además había dejado un libro en el suelo. ¡Y el hueso de la pata de pollo!

Tenía que impedir que Rosa pasara la aspiradora. Por el momento se había puesto a limpiar los vidrios. María no lo pensó dos veces: salió del desván y corrió en puntas de pie a toda velocidad hasta donde estaba la aspiradora, quitó el adaptador del enchufe y regresó al desván. No había terminado de entrar cuando Rosa salió del cuarto.

Si Rosa hubiera tenido al menos una mínima sospecha de que María se ocultaba en la mansión, en ese momento lo habría visto. Pero no la tenía. Así que alzó la aspiradora y la llevó hacia el cuarto sin registrar lo que había visto durante una fracción de segundo: una mano aferrando la hoja de la puerta del desván y el perfil de una cara con un ojo clavado en ella.

María estaba agitado como si hubiera corrido una gran distancia. El corazón le latía con fuerza. Mientras trataba de normalizar la respiración, vio a Rosa que volvía a salir del cuarto y se ponía a mirar el suelo buscando algo... El plan había resultado. Rosa se palpó los bolsillos del pantalón, hizo un gesto y bajó en busca del adaptador. María volvió al cuarto. El libro, que él había dejado a un costado de la cama, estaba ahora encima de ella, así que optó por no tocarlo; era evidente que Rosa lo había levantado del suelo y lo había puesto allí, sin que eso le llamara la atención. Agarró el bolso de debajo de la cama, pero no vio el hueso de la pata de pollo por ninguna parte. Se agachó y lo buscó desesperadamente allá y aquí, pensando que Rosa lo había pateado sin darse cuenta. No lo encontró. Oyó la voz de Rosa que decía:

–¡Acá arriba, señora, limpiando!

Silencio.

–¡Sí, señora, enseguida! –dijo Rosa, y esta vez su voz sonó mucho más cerca que antes.

María ya no tenía tiempo para seguir buscando el hueso. Salió del cuarto y corrió hasta el desván. Entró, cerró la puerta, apoyó la espalda contra la pared y se deslizó hasta quedar sentado en el suelo, con el bolso apretado contra el pecho. Un instante después cambió de posición, o mejor dicho de actitud: dejó el bolso a un lado y pasó del dramatismo al ensueño. Imaginó que Rosa encontraba el hueso, que se lo decía a la señora Blinder, que dos o tres policías subían a la mansarda y la revisaban hasta encontrarlo. Enseguida le ponían las esposas y lo arrastraban escaleras abajo.

En el rellano del primer piso el señor Blinder, que estaba esperándolo, se adelantaba de pronto hacia él y lo abofeteaba sin que los policías hicieran nada por impedirlo. En la planta baja pasaba junto a la señora Blinder, que retrocedía mirándolo fijo. Rosa aguardaba en la puerta de calle, negando en silencio, con la cara llena de lágrimas. El señor Blinder los detenía de pronto:

–¡Por ahí no! –decía–. Sáquenlo por allá –y señalaba la puerta de servicio.

Rosa debía acompañarlos. Iba delante y durante el trayecto se daba vuelta a cada paso, como si no creyera en lo que veía.

–¿Por qué? –le preguntaba.

–Qué sé yo, tantas cosas –le decía él–. ¿Vos estás bien?

–¿Por qué? –repetía Rosa.

Él se encogía de hombros. Ella abría la puerta reja y les daba paso. Un momento antes de que lo subieran al patrullero, Rosa alcanzaba a preguntarle, como una madre:

–¿Qué comías?

Salió del ensueño cuando se le acabó el agua del jarrito.

El mate era la mejor adquisición de las últimas semanas. En realidad se trataba de una taza de café; había descubierto varias bombillas en uno de los cajones de la cocina y le pareció que nadie iba a notar la falta de una. Rosa tomaba mate a diario, así que siempre había un paquete de yerba a mano. Por el momento María tomaba mate frío, aunque pronto empezaría también a calentar el agua... Salió de su ensueño, entonces, y advirtió que en ningún momento había oído el sonido de la aspiradora. Se asomó y miró hacia su cuarto. La puerta estaba cerrada.

¿Rosa todavía estaba allí? Le pareció poco probable que Rosa se hubiera encerrado *para limpiar*. Seguramente había terminado y ya se había ido. Por las dudas, aguardó un poco antes de volver al cuarto. Se entretuvo revisando algunas de las cajas que se apilaban en el desván, en las que encontró desde sombreros hasta vajilla. Muchas de las cosas que había en el desván podían servirle llegado el caso. Había husmeado allí adentro en más de una oportunidad, y ya había usado y devuelto con cierta frecuencia una frazada, un viejo alicate nacarado y un mazo de naipes (con el que hacía solitarios), pero nunca hasta ahora había visto el walkman. Era un Sony, probablemente de alguno de los hijos de los Blinder, o quizá de alguno de sus nietos. No tenía pilas, y aunque buscó allá y aquí no encontró los auriculares. De todos modos, decidió llevárselo. Lo puso en su bolso y, por un instante, se sintió como un náufrago, un Robinson Crusoe rescatando de entre los restos de su embarcación cualquier cosa que pudiera resultarle útil. Era hora de abandonar el desván. Cerró el bolso y se dirigió de regreso a su isla.

El aire dentro del cuarto era nuevo y fresco. El libro seguía sobre la cama. Mientras María estaba en el desván, había esperado a que de un momento a otro Rosa encontrara el hueso de pollo y, extrañada, fuera a mostrárselo a la señora Blinder. Evidentemente no lo había encontrado. De lo contrario (era un hueso "fresco", nadie habría pensado que se trataba de un viejo hueso llevado y olvidado allí quién sabe cuándo y por quién) su ensueño se hubiera hecho realidad. Así que lo primero que hizo apenas entró fue buscar el hueso, yendo y viniendo de rodillas por todo el cuarto. Pero él tampoco lo encontró.

Decidió abrir la ventana. Era una buena oportunidad, ya que Rosa había estado allí hasta hacía apenas un momento y siempre podía pensarse que la ventana había quedado mal cerrada. La luz inundó el cuarto. María miró hacia afuera. El cielo oscilaba entre nublarse o limpiarse. Los movimientos de la gente eran los habituales a esa hora del día; calculó que eran las dos de la tarde. En la obra, sus compañeros debían estar terminando el almuerzo. ¿Extrañaba algo del mundo exterior? El asado. Tres días atrás había comido carne al horno... El cigarrillo. Diez metros abajo, en la vereda, vio a un hombre que pasaba fumando y tuvo muchas ganas de fumar. Entonces advirtió que lo que más extrañaba eran los olores. El olor del asado, el olor del cigarrillo. Y el olor de Rosa.

Desde que vivía en la mansión no había sentido más que olor a humedad. ¿Fumaban el señor o la señora Blinder? En la mansión se cocinaba al mediodía y a la noche y, sin embargo, el aroma de las comidas jamás llegaba hasta allí arriba. ¿Por qué habría de sentir el olor del tabaco? Se propuso incursionar, en alguna de las próximas noches, en la sala de la planta baja, con el fin de comprobar si el señor o la señora Blinder fumaban y, en caso de que fuera así, robarles algún cigarrillo. En ese cuarto, o en cualquier otro lugar de la mansarda, podía fumar sin temor a ser descubierto, incluso podía hacerlo junto a la ventana apenas abierta, mirando hacia afuera, como ahora.

Pasó la tarde leyendo. Cuando la luz del día ya no fue suficiente, hizo gimnasia. Después fue al baño y se lavó y durmió una siesta. A las dos de la mañana bajó a la cocina para buscar su cena y, teniendo en cuenta que Rosa no daba señales de haber notado nunca ningún cambio en el volumen de las provisiones, también su desayuno. De esa forma comía mejor y se arriesgaba menos.

Después de cenar salió a dar un paseo por la casa. Iba completamente desnudo. Había decidido dejar de ahora en más su bolso en el desván, donde difícilmente podía ser advertido entre tantas cosas arrumbadas y a fin de no tener que cargar con él cada vez que salía. Se desplazaba de una manera tan sutil que parecía inmóvil, como si el suelo lo llevara. Un hombre en una cinta transportadora. Lo mismo sus saltos. No saltaba como un bailarín, en el sentido en que no quedaba suspendido en el aire, sino todo lo contrario: daba pasos largos, pero el peso de su cuerpo se imponía, manteniéndolo a ras del suelo. Era capaz de saltar a más de tres metros de distancia desde el punto de apoyo sin haberse elevado. Al final del trayecto, uno de sus pies se apoyaba por un instante para repetir el salto. Entonces su cuerpo era una sucesión de curvas intercomunicadas, pura fuerza echada hacia delante.

Volvió una hora después. La ventana de su cuarto seguía abierta. El cielo estaba despejado y muy de tanto en tanto pasaba un auto, nadie a pie. La luna brillaba como una piedra radiactiva. Se acostó. Estaba a punto de quedarse dormido cuando oyó unos ruiditos en la parte superior del placard. No se movió. Ni siquiera pareció importarle que la rata no hubiera salido, que siguiera en el cuarto. Ahora sabía dónde estaba el hueso.

—Buenas noches —dijo.

Se oyó y se sorprendió. Hacía mucho tiempo que no escuchaba su propia voz.

8

Una tarde oyó voces "nuevas" en la casa. Asomándose por encima de la baranda del segundo piso alcanzó a ver, en distintos momentos, a un hombre de traje oscuro y a una mujer que, desde su punto de vista, no era más que una peluca amarilla sostenida en zapatos cuyas puntas asomaban y se ocultaban histéricamente debajo de unos volados blancos, como un huevo frito animado. Era el 30 de octubre, cumpleaños de la señora Blinder. María no alcanzó a enterarse de la cifra que festejaba la señora Blinder, pero sí, al menos, que se llamaba Rita y que sus invitados eran amigos íntimos, quizá los únicos.

Rosa iba y venía (entraba y salía del campo visual de María) llevando una bandeja con bocaditos. Lo hacía con una frecuencia exasperante, como si le hubieran indicado servir un bocadito por vez, algo que sin duda debía agotar e irritar incluso a los invitados, a pesar de que sus voces sonaban de lo más alegres.

En determinado momento, todo el mundo desapareció; Rosa en la cocina, los Blinder y sus amigos en la mesa de la sala. María siguió frases sueltas de conversación hasta que oyó unas arcadas a su espalda. Retrocedió hacia una de las ventanas que daban sobre la avenida Alvear. La abrió. Un hombre joven, o relativamente joven, vomitaba en la entrada principal de la mansión.

Cerró la ventana y, como si la ventana fuera el obturador de una cámara fotográfica, repasó la imagen grabada en sus retinas: no había duda, era el hombre de la foto única en los portarretratos amontonados en la mesita. El timbre sonaba con insistencia.

María, intrigado, bajó al primer piso. El tono general del encuentro era de contrariedad y falsa bienvenida.

–¡Álvaro...! –el padre.

–¿En qué viniste? –la madre.

–Sentate... –el padre.

–¿Ya comiste? –la madre.

Álvaro:

–¿Viste que me acordé? Feliz cumpleaños. Doctor... Sara, ¿cómo les va?... Hola, viejo. Te juro que mañana te traigo el regalo, mamá. ¿Y, doctor? ¿Qué dice el Perú, les vendimos armas o no?

–Álvaro, por favor... –la madre.

Después, durante más de una hora, hablaron de fútbol. A María no había nada que le interesara menos que el fútbol. De todas formas, se quedó allí escuchando la conversación: tampoco se trataba de abandonar la fiesta porque el tema no le interesara; no tenía muchas oportunidades de oír una charla falsa pero amena.

Era evidente que el alcohol corría. Las voces y los temas, incluso los silencios, se habían vuelto pastosos. Alguien había puesto un disco. ¿Cuánto hacía que no sonaba un poco de música en esa casa? María nunca había escuchado un acorde, ni siquiera proveniente de las casas vecinas. Tuvo la impresión de que era la primera vez en generaciones que sonaba música ahí adentro. Ya se había hecho una idea de la clase de gente que eran los Blinder, de manera tal que lo inapropiado de la música que habían puesto (un CD de Cristian Castro) le confirmó que la música tenía para los Blinder tanta importancia como la literatura para un boxeador; ese disco no era de ellos, era de Rosa.

María hizo con el disco lo mismo que con la conversación: se quedó a escucharlo. La diferencia entre una cosa y otra era que mientras el fútbol no le interesaba en absoluto, las canciones de Cristian Castro le gustaban mucho. Es más: ese disco, a Rosa, si no se equivocaba, se lo había regalado él. Ese o el anterior, no estaba seguro. Sabía que le había regalado un disco de Cristian Castro, pero no había tenido

tiempo de grabarlo antes de regalárselo –y por lo tanto, de escucharlo a solas, a su regreso del trabajo–, así que no estaba seguro de si se
trataba de ese o no. El asunto es que la música de Cristian Castro le
hizo bajar la guardia, lo adormeció.

Y entonces fue testigo de algo tremendo.

(Lo que sigue no. Lo que sigue no es más que una infidelidad.)

Adormecido como estaba por la música, María no advirtió que la
señora Blinder se había escapado de la mesa, o de la sobremesa, o de
la sala, y que acababa de encontrarse con su invitado a mitad de la
escalera, entre las sombras.

En principio no había nada en la actitud de ninguno de los dos que
hiciera pensar que eran amantes; todo lo contrario: se notaba que durante décadas habían sido muy amigos, al extremo incluso de no tener
ya nada que decirse, pero también que estaban hartos de desearse en
secreto. El deseo y la represión eran tan fuertes entre ellos que, cuando se encontraron en mitad de la escalera (uno subiendo, el otro
bajando), parecían desconocerse.

María se había apartado al descubrirlos tan cerca de él. Ahora volvía a adelantarse. No podía verlos, pero sí oírlos con toda claridad.

Ella daba la impresión de estar un poco angustiada.

–Y de pronto sentí un vacío tan grande, tan grande que me pareció
que toda yo era ese vacío –decía Rita Blinder–. No sé si tiene que ver
con la religiosidad, pero es muy probable que sí. Estoy llena de señales de retirada. Primero vacía, y después llena, sí, pero de signos de
retirada. Tengo siempre presente algo que decía Epicteto... ¿Sabés
quién es Epicteto?

Silencio.

María imaginó que el hombre asentía vagamente.

–Epicteto –siguió diciendo Rita Blinder– decía que cuando Dios ya
no es capaz de proveernos de fe, de amor, o de lo que sea, es porque
está dando la señal de retirada. Acaba de abrir la puerta y te dice:
"Ven". "¿Adónde?" "A nada tremendo; tan solo allí de donde viniste, a
cosas amigas y afines a ti, a los elementos."

Otro silencio.

María supuso que la señora Blinder miraba fijamente al hombre, esperando un comentario suyo. Imaginó al hombre buscando con desesperación algo que decir. Lo oyó carraspear.

Por fin el hombre dijo:

—A veces creo saberlo todo y a veces nada. Querida mía, ésta es una de esas ocasiones en las que no sé nada. Creeme. Sinceramente, no sé qué decirte.

Se hizo una pausa y, acto seguido, la señora Blinder aspiró —llenándose los pulmones de aire, como si acabara de sacar la cabeza del agua— y empezó a bajar la escalera. El hombre, a pesar de que ella lo había encontrado subiendo, la siguió.

Entonces María oyó un ruido de vidrios rotos. Miró hacia la derecha, hacia la escalera del ala de servicio, desde donde el ruido había llegado hasta él como por un tubo. Fue hacia allí. Mientras bajaba oyó un portazo, un forcejeo, un nuevo portazo. Después, silencio. María estaba en el primer escalón al pie del pasillo; asomó la mitad de la cara y alcanzó a ver a Álvaro.

La puerta del cuarto de Rosa estaba abierta. Álvaro, de espaldas a María, se mantenía apoyado con un hombro en la pared. Intentaba despegar el hombro, pero las piernas no lo ayudaban, se le doblaban. Finalmente lo consiguió y, aprovechando el impulso, fue zigzagueando hasta la cocina, donde se produjo un nuevo forcejeo.

María oyó la voz de Rosa:

—¡Álvaro, basta, no!

—Vení un minuto... Minutito...

—¡Déjeme!

—No seas mala...

María no se atrevió a acercarse más para espiar hacia el interior de la cocina, pero no le hizo falta: Álvaro intentaba abusar de Rosa, eso era evidente. Apretó los puños. Apretó incluso los dedos de los pies contra el borde del escalón. ¿Qué haría si Rosa no lograba quitárselo de encima? ¿Había abusado de ella, de su novia, en otras ocasiones?

Rosa salió de la cocina acomodándose el uniforme y corrió hasta perderse detrás de una puerta al final del pasillo. Álvaro salió un momento después.

—¡Rosa...! —llamó.

Describió un círculo con los pies y se dirigió en una línea sorprendentemente recta detrás de Rosa, como si acabara de dibujar en el suelo un globo de gas.

María se quedó un momento allí, paralizado por la furia. Después volvió a subir para ubicarse otra vez por encima de la sala, pero aunque la música había terminado no oyó que nadie hablara; se inclinó para mirar y vio a Rosa que pasaba en dirección a la cocina cargando una bandeja. Un momento después volvió a verla. Ahora Rosa llevaba en la bandeja cuatro copas (no cinco, lo cual le hizo pensar que Álvaro había sido excluido del brindis) y una botella de coñac. María la oyó salir de la sala.

Subió hasta el segundo piso, corrió hasta el ala este de la casa y espió por entre las cortinas de una de las ventanas que daban al jardín. Los Blinder y sus amigos estaban sentados a una mesita blanca; Rosa dejó las copas sobre la mesa y volvió a entrar. Ni noticias de Álvaro.

Lo encontró un rato después, de pura casualidad; al pasar junto a uno de los dormitorios en su camino de regreso a la mansarda oyó unos ronquidos. Se detuvo, alarmado. Pensó que, fuera quien fuera el que estaba adentro, pudo haberlo visto al dirigirse hacia el cuarto: hasta hacía apenas unos minutos él mismo se encontraba no muy lejos de allí. Después se asomó. Álvaro dormía boca abajo en la cama, vestido, con los zapatos y la corbata puestos. Daba la impresión de haberse derrumbado.

María había matado al capataz sin furia. Lo había hecho, más bien, con el recuerdo de la furia, varias horas después del entredicho, como si la furia se hubiera desvanecido para dejarlo en manos de una nueva razón surgida de ella. Lo había premeditado. No los detalles, ni el modo —que quedaron librados a la improvisación, a lo que surgiera en el momento—, aunque el objetivo final era matarlo. En aquella ocasión paseó por los alrededores de la obra, se alejó y volvió y se alejó otra vez: hizo tiempo. A las seis y media, quizá unos pocos minutos después, cuando estuvo seguro de que lo encontraría solo –el capataz era siempre el último en irse–, entró a la obra. Estaba tranquilo. Ni siquiera tenía una coartada. No pensó en las consecuencias. El capataz, sí: lo miró a los ojos y supo que ese hombre era lo último que vería.

El terror que siguió a esa certeza lo inmovilizó. No tuvo tiempo ni de tragar saliva. María pensó que Álvaro, aun dormido y borracho, o quizá justamente por eso, ofrecería más resistencia que el capataz. Por otra parte ahora él no tenía, como aquella tarde en la obra, una piedra en la mano. Tendría que ahorcarlo, o... A su derecha vio un atizador. Calculó que dos o tres golpes bastarían para romperle el cráneo. Imaginó toda la escena: el primer golpe... Álvaro girando la cabeza para mirarlo... el segundo golpe en la frente... la sangre... Y de pronto se sintió muy cansado, como si acabara de hacerlo.

Salió del cuarto y atravesó despacio la sala a oscuras en dirección a la escalera. A mitad de camino oyó un ruido. Se dio vuelta a mirar. La hoja de una ventana, que acababa de cerrarse y ahora volvía a abrirse, lentamente... Era el viento, nada más, pero él igual apuró el paso.

9

A mediados de noviembre empezó realmente la primavera. Afuera –lo veía en la calle, en el jardín– había empezado antes, solo que le llevó un tiempo hacerse sentir también en la casa. La mansarda y el tercer piso seguían siendo húmedos y oscuros, pero la temperatura se había elevado allí adentro en las últimas semanas a razón de un grado por día, hasta que por fin pareció nivelarse con la de afuera.

María se sintió más cómodo y a gusto: dormía un poco más, la comida tenía más sabor, se demoraba en la ducha... Hasta sus paseos por la casa eran más largos. Y esto porque había reverdecido también su confianza: Álvaro y la policía no habían vuelto a aparecer, el señor y la señora Blinder pasaban más horas del día afuera y su dominio del tercer y segundo piso era ya casi completo, en todo sentido. Desde hacía mucho tiempo distinguía claramente el sonido de los pasos de los habitantes de la casa; ahora sabía también la dirección, el apuro y hasta lo que llevaba en mente cada uno de ellos. Conocía sus rutinas, sus caprichos, sus respiraciones, reconocía sus modos de abrir o de cerrar las puertas, sabía quién acababa de apoyar su copa en la mesa... y todo como un ciego, porque nunca o casi nunca los había visto.

Se había metido en el cuarto de los Blinder en dos o tres ocasiones, así que también tenía una imagen física y un perfil intelectual de ellos. Había espiado en sus placards, había visto siempre un ejemplar distinto de la *Reader's Digest* en la mesa de luz del señor Blinder y el diario en la mesita de la señora, cada vez con una copa de whisky vacía encima. Rita Blinder bebía en la cama, y muy probablemente

67

en cualquier otro lugar, como su hijo. Y, por último, descubrió que a Rosa la había empezado a llamar un hombre.

Ese descubrimiento coincidió con otro, al que llegó en su afán por interceptar las comunicaciones de Rosa. La sola idea de que Rosa besara a otro hombre lo lastimaba. Impulsado por los celos, una tarde en que Rosa acababa de recibir uno de esos llamados, María subió corriendo las escaleras y levantó el auricular del teléfono del tercer piso. Pero no oyó otra cosa que el tono de línea. Bajó de nuevo a toda velocidad. Rosa seguía hablando. Eso quería decir que en la casa había dos líneas.

En ese momento no le importó seguir la conversación de Rosa. Con un mar de risitas sugestivas de fondo, pensó que había hecho un descubrimiento extraordinario. "¡Tengo teléfono!", se dijo. Era tan ridículo que resultaba emocionante. Podía hablar con Rosa, podía llamarla y hablarle sin que ella siquiera sospechara que él estaba a metros de allí.

Volvió al tercer piso, agarró la guía telefónica y buscó el número de los Blinder. Había siete.

Empezó por el primero. Discó el número, y mientras el teléfono sonaba al otro lado de la línea, se dio cuenta de que no tenía la menor idea de lo que iba a decir. Cortó. Se había dejado llevar por un impulso, pero ¿había algo que pensar? Hizo un intento: pensó.

Sintió un burbujeo en todo el cuerpo. Un burbujeo que no había comenzado precisamente en la cabeza. Después levantó el auricular y volvió a discar el primer número de la lista.

Ocupado.

Colgó y volvió a discar.

Otra vez ocupado. No lo podía creer. ¡Estaba a dos pisos de distancia de su novia y le daba todo el tiempo ocupado!

Dio ocupado durante media hora o más. María estaba dispuesto a esperar (tenía todo el tiempo del mundo: nunca nadie tan interesado en algo tenía a la vez tanto tiempo como él), pero escuchó el sonido de la puerta de calle que se abría y las voces del señor y la señora

Blinder que acababan de entrar (discutiendo). Así que agarró la guía y el teléfono (era un teléfono inalámbrico, una medialuna de acrílico transparente con todos los cables y chips a la vista, un aparato que parecía haber llegado a la casa desde otro planeta) y lo llevó a su cuarto.

Cerró la puerta y volvió a discar.

Ahora el teléfono llamaba.

(Genial.)

El teléfono sonó siete veces antes de que una voz de mujer lo atendiera del otro lado.

–¿Holá?

María cortó en el acto.

No le había parecido la voz de Rosa. "Bueno –se dijo–, tampoco sé si estoy llamando a mi casa." En efecto, podía no ser el número de sus Blinder. Si había tenido la suerte de acertar con el primero, eso era algo que solo iba a saber en la medida en que preguntara por Rosa y le pasaran con ella. Así que volvió a discar.

Mientras el teléfono llamaba, se preguntó qué diría si era la señora Blinder la que atendía...

Esta vez la mujer atendió al segundo llamado, antes de que María alcanzara a responderse.

–Sí, buenas tardes –dijo atropelladamente–. ¿Podría hablar con Rosa?

–¿Qué Rosa?

Cortó.

No era.

Sintió alivio de que no fuera el número correcto, un alivio tan irracional en sí mismo que discó el próximo número frenéticamente, como si de pronto hubiera entrevisto que esa actitud frente al teléfono le bastaría para modificar de una vez y para siempre toda su estructura genética.

Lo atendió otra mujer.

–Buenas tardes, ¿podría hablar con Rosa?

–¿Quién habla?

–Un amigo... un amigo de Rosa. ¿Ella está?

–Acá no hay ninguna Rosa...

Cortó.

Discó el número siguiente.

–Buenas, ¿está Rosa?

–Equivocado. –Era otra mujer.

Pensó que, por lo visto, esa noche había alguna razón para que todas las Blinder estuvieran cerca del teléfono y cortó. Discó el próximo número.

Mientras el teléfono llamaba, se sintió de pronto inmerso en el mundo del azar. Había cruzado las piernas, como hacía antes de instalarse en la casa cada vez que escuchaba los resultados de la lotería en la radio. Ahora, incluso, tenía un pálpito...

–¿Holá?

Otra mujer.

–¿Holá? –repitió la mujer.

María hizo una pausa. ¡Era ella! ¡Era Rosa!

Rosa, impaciente, cortó.

María volvió a discar.

Discaba con un dedo de la mano derecha, que se mantenía firme. Pero la mano izquierda (sobre la guía telefónica, con el dedo índice apuntando al número) temblaba.

–¿Holá? –dijo Rosa.

–¿Rosa? –preguntó María.

–Sí, soy yo. ¿Quién es?

Rosa sonaba indiferente, formal, como si después de hablar con "el hombre que la llamaba", cualquier otra voz que no fuera la de "él" era invariablemente para los Blinder, y eso –el resto del mundo– era algo que no le interesaba en lo más mínimo.

María lo sintió. Había estado en alguna ocasión con Rosa en el momento en que alguien llamaba preguntando por los Blinder: conocía ese timbre, su forma, las volutas de indiferencia de su voz, que por contraste lo perlaba de importancia. Ya no eran celos ahora, sino dolor. Un dolor exclusivo.

–María, yo –dijo, con un tono de haber sido echado del mundo nada más que con una moneda en la mano y un teléfono cerca.

–¿Quién? –preguntó ella.

–María, Rosa. Soy yo. ¿Cómo andás? ¿Holá? Rosa ¿estás ahí?

–¿María?

–Sí, yo. ¿Qué contás?

–¿María?

–Sí...

–María, ¿sos vos?

–Sí, sí...

–María, por Dios, jurame que sos vos...

María se besó los dedos en cruz. Estaba emocionado.

–Jurame –repitió ella.

–Te lo juro.

Pausa.

–María...

–Te sorprende...

–¿Dónde estabas? ¿Qué te pasó?

–Uh, eso es... –hizo gesto de "largo de contar".

–No lo puedo creer... –exclamó Rosa, y María la escuchó llorar.

–Perdoname que no te llamé antes, pero...

Llanto.

–Rosa, mirá, las cosas se dieron de una manera que...

Llanto.

Silencio.

Rosa dijo:

–¿Qué pasó?

–Es largo...

–Decime.

–Quería decirte que yo siempre... vos me entendés. Te quiero. Que no me olvido.

–¿Estás en tu casa?

–Rosa...

–¿Dónde estás? ¿Por qué hablás así bajito?

–Eso no te lo puedo decir...

–¿Estás bien? ¿Qué pasó? Dicen que mataste al capataz de la obra donde...

–No.

–¿Por qué dicen, entonces? ¿Qué hubo, mi amor?

–Qué lindo que me digas eso, "mi amor".

–Se me escapó...

–Ojalá se te escapara a cada rato.

–Se me escapa, pero como no supe nada más de vos...

–¿Estás saliendo con alguien?

–¡No! ¿De dónde sacás eso?

–Te pregunto...

–Para nada. Estoy sola, como siempre. ¿Y vos? ¿Cuándo vas a venir? ¿Por qué te fuiste así?

–Ya te voy a contar...

–¿Entonces es mentira lo que dicen de vos?

–¿Que maté a ese tipo?

–Sí...

–Claro.

–¿Dónde estás, María?

–Te voy a tener que cortar, Rosa, estoy en un teléfono prestado...

–¿Por eso hablás bajito?

–Sí. ¿Y vos? ¿No hay nadie que te arrastre el ala?

–Eso ya me lo preguntaste. Y no.

–¿Te acordás de mí?

–A cada rato.

–Yo también.

–¡Esperá, no cortes!

–¿Cómo te diste cuenta de que te iba a cortar?

–Te conozco. Decime algo, María... No sé nada...

–Te dejo.

–¡No, esperá!

–Mañana te llamo de nuevo.

–¡No cortes!

–Perdoname, pero...

–¡Esperá!

–Te quiero.

–¡María!

–Chau, mi amor, mañana te llamo. Me encantó hablar con vos –dijo María y cortó.

Sentía el corazón en todo el cuerpo.

Aguardó unos minutos hasta que estuvo otra vez en dominio de sí mismo y bajó a devolver el teléfono. Después, ya de regreso en el cuarto, se acostó boca arriba en la cama y repasó mentalmente las cosas que se habían dicho. En cierto momento oyó un ruidito a su derecha. Giró la cabeza en dirección al placard. Hizo una pausa.

–La llamé –le contó a la rata. Sonreía.

10

Por sus comodidades, el segundo piso era el lugar donde más tiempo pasaba. Solía sentarse completamente desnudo en el sofá, con las piernas estiradas y los talones apoyados en la mesita ratona, a reflexionar sobre las posibilidades que tenía de abandonar la casa sin ir a la cárcel. Pensaba "posibilidades" en plural, aunque no encontraba nunca ninguna. No tenía adónde ir. Además allí estaba mucho mejor de lo que hubiera estado en su propia casa si fuera libre. Y no pensaba "si fuera libre" amargamente, sino regocijándose: la calle significaba la condena y el encierro. Esa era su forma de decírselo. Por otra parte, lo que extrañaba de afuera, aunque no pudiera acercarse, estaba adentro. Menos algo: cigarrillos.

Durante más de veinte años había fumado un paquete de cigarrillos al día, y de pronto... Lo curioso es que no sentía verdaderas ganas de fumar: era la imagen de sí mismo fumando, el contorno del hábito, lo que no terminaba de apagarse. Mil veces había pensado en dejar el vicio, pero nunca había ido más allá de la idea, porque estaba seguro de que era imposible y, habiendo fracasado de antemano, ¿qué sentido tenía entonces padecer los síntomas de la abstinencia? Ahora, forzado a no fumar, le llamaba la atención que no hubiera ocurrido nada, no había sufrido ninguna ansiedad, ningún nerviosismo, ninguna sudoración extra, pero tampoco había experimentado ningún beneficio: energía, gusto, olfato, no había cambio alguno, era todo exactamente igual que antes. Durante más de veinte años había sido víctima de una adicción falsa.

¿Cómo?

Quitó los pies de la mesita ratona y se cruzó de brazos, pensativo. ¿Qué había hecho en la vida?

Su madre se había ido con otro hombre. Casi en simultáneo su padre trajo a la casa a otra mujer. María la odiaba. Su padre también, pero no aguantaba vivir solo. María se fue. Viajó a Capilla del Señor y se instaló en una piecita al fondo de la casa de unos tíos. Eran unos tíos muy lejanos, así que le cobraban alquiler. Un alquiler simbólico. María trabajaba de cualquier cosa a tiempo completo y las pocas horas en las que no tenía nada que hacer las gastaba paseando solo por ahí, más que nada porque el tío era homosexual y se le tiraba encima cada dos por tres. ¿Por qué no se había ido nunca de allí? Ahí entraba en juego lo simbólico: el alquiler era tan barato que María prefería aguantar al tío. Pero el caso es que había pasado años sin cruzar palabra con nadie, aparte de insultos y formalidades. No recordaba haber mantenido ni la mitad de una conversación en toda su vida. Con su único amigo se entendía con la mirada. Jamás veía televisión; la TV estaba en el living, siempre con el tío enfrente. Leía. Se había anotado en la biblioteca de los Bomberos Voluntarios y retiraba una novela por semana, eligiendo las que tenían mejores ilustraciones de tapa o títulos prometedores. Y en general tenía suerte. Pero aunque era lo que se dice "un tipo buenmozo", no le iba bien con las mujeres. Le gustaban hasta que abrían la boca. Él a ellas, por el contrario, les gustaba hasta que entendían que no la iba a abrir nunca. Era demasiado huraño, serio, reconcentrado. Las putas le caían mejor. Todas lo eran, con la diferencia de que las que no cobraban para acostarse con él tenían siempre cosas que decir.

Así que ni familia, ni charla, ni amigos, ni amor, ni televisión. ¿Qué había hecho en su vida, entonces? No sabía. Pero ésa era una pregunta; solo cuando se hizo muchas, todas juntas, una casi sobre la otra, encimándolas, encontró la respuesta: Rosa.

Era lo mejor que le había ocurrido y había sido instantáneo; una revolución a primera vista. Rosa lo había imantado. Recordó que aquella tarde a la salida del Disco, mientras cruzaba la calle para ir a su encuentro, sentía que estaba siendo literalmente *atraído* por ella. Cruzó la calle como un zombie, con la mente en blanco, sin la menor idea de lo que iba a decir. Por suerte había salido todo bien, incluso demasiado: hablaron un poco de Shakira y del Disco y a partir de ese momento María fue otro, alegre, conversador y desafiante. Ya no mordía el polvo en la obra de la misma forma.

A veces se despertaba en mitad de la noche y no sabía dónde estaba... No sabía dónde estaba la ventana, no sabía dónde estaba la puerta... Volvía a dormirse solo cuando "entendía" que estaba dormido. Pero en la mañana todo lo desconcertaba otra vez. La pieza y cada una de sus pequeñas cosas y detalles (el asa del pocillo de café, la dirección de su sombra, su orientación al sentarse), todo apuntaba hacia ella...

Sí, Rosa era lo único que extrañaba del mundo exterior, lo único que realmente le hacía falta. Pero ¿quién era el tipo que la llamaba?

María la había llamado el 20 de noviembre. En esa ocasión le había prometido llamarla de nuevo al día siguiente, pero no lo había hecho. Y no porque no quisiera –de ser por él le hubiera hablado cada día a la mañana, a la tarde y a la noche–: se había quedado con la impresión de que Rosa lo había oído "demasiado cerca" y, por las dudas, prefirió no hablarle de nuevo hasta que esa impresión (su impresión sobre la impresión de Rosa) se desvaneciera. No obstante, aunque siguieron varios días de silencio, su reaparición había conseguido enfriar el coqueteo entre Rosa y "el tipo". La consecuencia del llamado era obvia: Rosa lo prefería a él. Pero también era obvio que si él desaparecía de nuevo, Rosa reavivaría la relación con el tipo. Y eso fue lo que ocurrió.

Día a día los llamados del tipo se fueron haciendo más frecuentes. Al final llamaba a toda hora. A veces Rosa estaba sola, pero muchas veces estaban también el señor y la señora Blinder, y María se veía obligado a dar grandes rodeos por la casa para ubicarse en un punto desde el que pudiera oír la conversación. Por lo que decía Rosa, por las cadencias y oscilaciones de su voz, el coqueteo, efectivamente, se había reavivado.

María dedujo que el tipo no tenía orgullo y que, por lo tanto, era un oponente de cuidado, porque aun después de que Rosa le pusiera paños fríos, había insistido hasta conseguir que la relación volviera a caldearse. El 3 de diciembre María la llamó de nuevo.

–Rosa...

–¡María! ¿Dónde estás? ¿Qué pasó?

–No empecemos de nuevo con eso, por favor. ¿Estás bien?

–Sí. ¿Dónde estás vos?

–Yo estoy muy bien. Me dijo un pajarito que andás viéndote con...

–¿Qué pajarito?

–¿Pajarito?

–No sé, vos dijiste pajarito...

–Un amigo, un conocido. No sé si te acordás, un día que salíamos del hotel en el Bajo nos cruzamos con él y te lo presenté...

–No me acuerdo...

–No importa. Me dijo que te vio el otro día con un tipo...

–Mentira.

–¿Por qué me va a mentir?

–¡Qué sé yo, no lo conozco! Pero decile que se deje de decir pavadas, que eso no es verdad.

–¿Seguro?

–María, mi amor, ¿qué pasa, dónde estás, por qué no venís? Te lo ruego: no me tengas así. Decime algo aunque sea... ¿Holá? María...

–Estoy acá.

–¿No me querés más?

–Te adoro.

–Yo también.

–Yo también.

–¿Y entonces?

–¿Quién es el tipo?

–¿Qué tipo?

–¿Trabaja en el Disco?

–¿Por qué me hacés esto?

–Me dijeron que todas las semanas va un jardinero ahí a la mansión. ¿Es él?

–¿Quién te dice esas cosas, tu amigo? Flor de amigo tenés si te llena la cabeza así.

–¿Va un jardinero sí o no?

–Sí, pero eso qué tiene que...

–¿Es él?

–¿El qué?

–No me des vuelta las palabras, Rosa, que sabés bien lo que te digo...

–Dios mío...

María se moría por ser explícito. La pregunta era "Quién te llama", pero no podía hacer esa pregunta de ninguna manera.

–Te agarraron –dijo de pronto Rosa.

–¿Eh?

–Te agarraron, estás preso –dijo Rosa llorando–, por eso no me querés decir nada, porque te metieron preso. Ay, mi amor, no sabés lo que me...

–No estoy en cana, Rosa.

–No importa...

–No estoy, estoy acá.

–¿Acá dónde?

–Libre... acá... en libertad estoy...

–No te creo. Me di cuenta, María. No importa. Decime dónde estás y te voy a ver. No importa que estés preso, te lo juro por mis hijos. No tengo hijos pero igual, te lo juro por lo que más quiero. A mí vos...

–Rosa... –dijo María.

Y cortó.

No podía soportarlo. Estaba seguro de que con este nuevo llamado suyo había conseguido enfriar otra vez la disposición de Rosa a entregarse al tipo, fuera quien fuera. Lo que no soportaba era oírla sin verla, y verla sin ser visto. Dejó el teléfono y se acercó al cuarto de Rosa.

Rosa acababa de entrar. María oyó su llanto y se abrazó a sí mismo como si la abrazara a ella. La llevaba en el corazón, así que de hecho la abrazó.

78

11

Una noche se llevó de la biblioteca el libro *Tus zonas erróneas*, del doctor Wayne W. Dyer. Fue una revelación. Sintió que el libro le *servía* (algo que nunca le había ocurrido con las novelas, que solamente lo entretenían). Y en la medida en que ya no debía preocuparse, al menos en lo inmediato, por los llamados del tipo, ya que con el último llamado que él mismo le había hecho a Rosa la relación entre ella y el tipo se había enfriado otra vez, se dedicó a leer. Leyó con una dedicación y una concentración que no se conocía.

Todo era verdad. No había frase, o idea, o estadística, o comentario, o dato, que no resonara en su conciencia como una verdad. Cada vez que abría el libro (algo que hacía muy pocas veces al día, ya que casi nunca lo cerraba), tenía la sensación de encender una luz, la luz. Estaba maravillado. Y al mismo tiempo el libro lo hacía sentir completamente estúpido: no podía creer que no se hubiera dado cuenta *antes* de que las cosas eran así, o que funcionaban de esa manera.

La aplicación que había puesto en el dominio de la casa (de la que ya conocía hasta sus detalles más nimios, incluido el bidet de uno de los baños del segundo piso, un bidet cuyo diseño no le permitía a uno mantenerse sentado en el borde para secarse los pies con una toalla, o cualquier otra acción ajena a su función específica, porque entonces uno caía, se deslizaba hacia adentro, como si el bidet tendiera a tragárselo) se dirigió de pronto a su propio interior, donde las revelaciones en grageas del libro burbujeaban de una manera especial. Era tal su deseo de sacarle provecho a todo que la lectura se volvió tortuosa. Leía frases como "hay hombres que manejan los olvidos con malicia, como quien da puñaladas", preguntándose qué quería decir exactamente "manejar los olvidos con malicia", adónde apuntaba el doctor Dyer con "manejar los olvidos", e incluso qué era "manejar".

En unas hojas de papel en blanco que había tomado del escritorio anotó las frases más importantes. Retrocedía en la lectura, se demoraba, pero también avanzaba. Diez días después, cuando lo terminó, se sentía distinto, enriquecido, justificado.

Esa noche llevó a cabo la acción más osada desde que vivía en la mansión: salió de la cocina... salió al aire libre... La salida duró apenas un momento, lo suficiente para echar un rápido vistazo a su alrededor. Pero mirando por primera vez en mucho tiempo la calle con los pies en el suelo (y el cielo sin estrellas), se le ocurrió una idea que duplicaba la osadía: cruzar la puerta reja, hacer una rápida copia de la llave, tocar el timbre, abrazar a Rosa, acostarse con ella, despedirse, volver a entrar... Conocía la casa al dedillo, sus sonidos, sus movimientos... No había nada que le impidiera hacerlo.

De regreso en su cuarto, le contó la idea a la rata. Y de pronto oyó un murmullo de forcejeos en la planta baja; estaba tan excitado con la idea que se dio cuenta de que venía oyendo el forcejeo desde unos cuantos minutos atrás. Bajó corriendo.

Álvaro manoseaba a Rosa. La perseguía de la cocina al pasillo y del pasillo a la sala. A María la indignación lo puso al borde de la invisibilidad: por un instante se creyó capaz de salir de su escondite para defender a Rosa sin ser visto por ninguno de los dos.

La escena de Álvaro manoseando a Rosa se había superpuesto al milagro de *Tus zonas erróneas* de tal manera que desde hacía días miraba la tapa del libro sobre la cama con la sensación de no haberlo leído nunca. Desde entonces no pensaba en otra cosa que en Álvaro.

Una mañana estaba cortándose el pelo en el baño cuando oyó unos ruidos extraños en la planta baja. Se alarmó: sabía que los Blinder y Rosa acababan de salir. Era una de las poquísimas ocasiones en que no quedaba nadie en la mansión. Los Blinder se habían ido apurados, dejando en el aire una estela de perfume; Rosa los había acompañado hasta el garaje y, después de que el auto saliera, había cerrado el portón del lado de afuera: seguramente iba a hacer algún mandado... María oyó un gruñido, un choque sordo, y se le erizó el pelo recién cortado. ¿Quién estaba en la casa? Recogió rápidamente unos rulos que habían caído al suelo, los envolvió en una hoja de papel de diario y se la guardó en un bolsillo.

Bajó lentamente, empuñando la tijera. Desde el segundo piso alcanzó a ver a Rosa: retrocedía hacia la sala seguida por Álvaro. ¿En qué momento habían llegado? ¿Cómo no los había oído entrar?

Álvaro alcanzó a Rosa en la galería.

–Álvaro, por favor... –rogó ella.

–Un minuto... –Álvaro la mantenía agarrada del uniforme con una mano, como si acabara de atrapar a una ladrona después de una larga persecución por la casa. Estaba sin aire.

María bajó otro piso por la escalera principal hasta el hall de recepción y se ocultó detrás de una pared junto a la galería, a metros de ellos. Asomó la mitad de un ojo y vio que Álvaro soltaba a Rosa y aspiraba una gran bocanada de aire.

–¿Por qué te me escapás así?

–Por favor...

–¡Basta con tanto por favor! ¿Qué te pasa, me tenés miedo?

–Sí, señor.

–Decime Álvaro... si recién me decías Álvaro... ¿Y por qué me tenés miedo, si se puede saber?

–No quiero...

–¿No me querés decir?

–No, sí le digo. Pero no quiero lo que...

–¿Lo que quiero yo?

Rosa asintió. Álvaro hizo un chasquido con la lengua, la agarró de la cintura y trató de besarla. Rosa echó la cabeza hacia atrás y se sacudió a un lado y a otro tratando de soltarse, pero Álvaro la sujetaba con fuerza. Había hundido la cara en el cuello de Rosa y la besaba con un gesto espasmódico, como un vampiro.

Sin pensarlo, María salió de su escondite; estaba a espaldas de Álvaro, a cuatro o cinco metros de distancia. Ya había dado el primer paso hacia él con la tijera en alto cuando de pronto Rosa consiguió soltarse, giró y echó a correr hacia la biblioteca.

María retrocedió.

Álvaro se irguió y se pasó una mano por la nuca. Por un momento se quedó allí parado respirando agitadamente. Parecía dispuesto a dejarla ir. Después sacó una petaca del bolsillo interior del saco, una pequeña petaca forrada en cuero, dio un largo trago, se secó los labios con el dorso de una mano, volvió a guardarla y se entretuvo un momento revisando unos papeles sobre un mueble. Finalmente se dirigió hacia la biblioteca.

María lo siguió. La biblioteca era un ambiente enorme repleto de libros de lomos oscuros, desde el suelo hasta el techo. No había allí ningún lugar donde Rosa pudiera ocultarse, pero Álvaro entró llamándola en voz baja, como si jugara a las escondidas. Caminó lentamente hacia la puerta que comunicaba con el living y de allí pasó al comedor.

–¿Rosa? –llamaba.

La buscó en el antecomedor y en el office, y por último empezó a bajar la escalera de servicio. María iba siempre un ambiente detrás; solo entraba a un lugar cuando Álvaro salía. Estaba tranquilo. Toda su atención estaba puesta en no perderle pisada sin ser descubierto. No podía dejarse ver. Sabía que si Álvaro lo veía tendría que matarlo. Lo hubiera matado con gusto, pero eso sería también el fin para él. ¿Qué haría si Álvaro encontraba a Rosa y volvía a atacarla? Era evidente que Álvaro la buscaba para atacarla, pero ¿qué haría él cuando eso sucediera? Cabía la posibilidad de que no la encontrara: Rosa conocía la casa y sus recovecos tan bien como él. No obstante, lo mejor que Rosa podía hacer para evitar la violación era salir; si era inteligente, saldría de la casa hasta que el señor y la señora Blinder estuvieran de regreso.

Entonces María oyó el golpe de una puerta que acababa de cerrarse. Por un instante se sintió confundido; después supo que se trataba de una puerta en la planta baja. ¿Rosa había hecho lo que él pensaba que tenía que hacer para escapar de Álvaro? No. No era la puerta de calle. Era la puerta de su dormitorio. María apretó los dientes, enojado: Rosa se había metido en el peor lugar. Y Álvaro sin duda también la había oído. María se lo imaginó sonriendo... Álvaro se detuvo en el último escalón; sacó la petaca y bebió un par de tragos. Después salió al pasillo.

María decidió no bajar por allí: la escalera de servicio era estrecha y oscura y cabía la posibilidad de que Álvaro volviera sobre sus pasos para dar un rodeo y salir al encuentro de Rosa en la cocina, cerrándole el paso a la calle, con lo cual María se lo hubiera encontrado de frente, sin ninguna chance de ocultarse. Así que subió un piso, corrió por un pasillo en L, bajó por la escalera principal hasta la planta baja y reapareció en el ala de servicio desde el otro lado. Pero Álvaro ya no estaba allí.

María se acercó a la puerta del cuarto de Rosa. Silencio. Apoyó la oreja en la puerta. No oyó nada, pero algo le decía que Rosa y Álvaro estaban adentro. Se agachó para mirar por la cerradura. No había nadie. Se apartó y avanzó por el pasillo en puntas de pie, deteniéndose ante cada puerta hasta que llegó a la escalera. Subió, desconcertado. No estaban por ninguna parte... ¿Dónde se habían metido? Y entonces oyó voces desconocidas, la voz de una mujer y de unos chicos en la planta baja... Los chicos acababan de entrar y corrían a un lado y a otro. La mujer los retó, pero los chicos siguieron corriendo y gritando hasta que intervino un hombre, a quien el señor Blinder pidió calma. Ahora se oía el llanto de un chico. María, que al oírlos entrar había retrocedido hasta apoyar la espalda en la pared, dio un paso adelante y alcanzó a ver a una mujer rubia y a un hombre joven que atravesaba el vestíbulo de entrada arrastrando unas valijas.

Había visto a la mujer en una foto: era la hija de los Blinder. El hombre seguramente era su esposo, y los chicos sus hijos. Uno de los chicos debía tener alrededor de quince años. Los otros, una nena y un varón, parecían bastante menores que él, de entre seis y ocho años.

La señora Blinder llamaba a Rosa; a cada minuto que pasaba sin que Rosa apareciera, sonaba un poco más enojada. El hombre dejó las valijas al pie de la escalera: era evidente que habían venido a pasar un tiempo en la casa y que pensaban instalarse en el primer piso. Entonces María oyó la voz de Rosa que acababa de entrar.

No podía verla desde donde estaba, pero la oía con toda claridad; parecía agitada.

–¡Señora Loli, qué gusto...!

–¿Qué tal, Rosa?

–Muy bien. ¡Qué grandes que están los chicos, por Dios! ¿Aquél es Esteban?

–¿Dónde estabas? –la señora Blinder.

–Esteban, vení a saludar a Rosa... –llamó Loli.

–Estaba en el jardín, señora. No la oí llegar...

La señora Blinder dijo:

–Andá preparando el cuarto de huéspedes. –Giró hacia su hija–: ¿Querés que los chicos duerman acá? –se refería a la planta baja.

–Sí, mejor.

–Buenas tardes, señor Ricardo –dijo Rosa saludando al esposo de Loli.

María no oyó ninguna respuesta, por lo que supuso que Ricardo había respondido al saludo con una sonrisa o con un gesto.

Enseguida oyó a Esteban:

–Hola, Rosa.

–Mirá un poco lo grande que estás...

–Tanto tiempo...

–¿Cuántos tenés ya? ¿Quince?

–Catorce.

–Así que hace que no te veo... –pensó Rosa en voz alta.

–Dos años –dijo Esteban.

Los más chiquitos también se acercaron a saludarla. Hablaban en inglés. Ni María ni Rosa entendieron nada de lo que decían. Esteban tradujo:

–Tomy quiere comer milanesas. Rita pregunta si la vas a llevar a pasear.

Se hizo un silencio. Rosa debió mirar a la madre o al padre de Rita –la nena se llamaba igual que la señora Blinder– en busca de aprobación antes de prometer que sí. Esteban añadió:

–Le hablé yo de tus milanesas.

–Claro que te voy a hacer... –dijo Rosa.

En ese momento María oyó un "Hola, hola, hola" que pretendía sonar fluido: Álvaro.

El señor y la señora Blinder se mostraron sorprendidos de la presencia de Álvaro en la casa. Lo dijeron. Álvaro no les dio ninguna respuesta; inmediatamente fue a saludar a Loli y a Ricardo. Ni ellos ni los chicos parecían contentos de haberlo encontrado allí. Loli le preguntó si estaba durmiendo: tenía cara de haberse despertado recién, y el señor Blinder comentó en voz alta, aunque con intención de murmullo, que esperaba que no se hubiera acostado en su cama. Por lo visto Álvaro solía acostarse –borracho– en la cama de sus padres –él mismo lo había visto una vez– y eso molestaba al señor Blinder.

Pero María sabía perfectamente que Álvaro no había estado durmiendo... ¿Por qué la hermana le había dicho que tenía cara de dormido? Álvaro empezó a decirle a su padre que no estaba durmiendo, que en realidad estaba en... Pero María no pudo escuchar el resto de la respuesta: Rosa subía la escalera arrastrando una de las dos valijas, así que María no tuvo más remedio que alejarse de allí. Estaba seguro de que Rosa había abandonado inmediatamente la sala apenas Álvaro entró.

13

Eso fue el 21 de diciembre. En los tres días siguientes María se enteró de varias cosas: que Loli y Ricardo vivían en Londres, que ninguno de los dos fumaba (sí lo hacía el chico de quince, Esteban, aunque nunca tenía cigarrillos), que los otros chicos apenas hablaban español y, volviendo a Esteban, que se llevaba muy bien con Rosa. En un viaje anterior, cuando Rosa hacía apenas meses que trabajaba en la mansión, Esteban se había hecho muy amigo de ella. En esa época Esteban tenía doce años y nadie con quien hablar (en ninguno de los dos hemisferios), y había encontrado en Rosa a su primer confidente. Al parecer le había revelado un secreto íntimo. María nunca supo de qué secreto se trataba, pero aquello los había unido todavía más que la amistad.

–¿Y cómo te encuentras? –le dijo Esteban un día a Rosa, los dos a solas en la cocina.

–Bien, ¿y vos?

–Estupendo. ¿Sabes?, quería que lo supieras –dijo Esteban. Era argentino y vivía en Londres, pero había pasado la mayor parte de su corta vida en España–: no he dejado de pensar un solo día en ti.

–¿Tú? –dijo Rosa, de pronto contagiada–. ¿En mí?

–Claro.

–¿Por?

–No te rías. Es verdad: he pensado en ti cada día de mi vida.

–Me das gracia...

–Vamos, ¿es que a ti no te ha ocurrido lo mismo?

–¡Hablás como un galán!

–Simpática.

–¡No, te lo digo de verdad! Hablás igualito que un galán...

–Si quieres...

Silencio.

Un momento después Esteban dijo, gravemente:

–Claro que también he pensado en morirme. Pero no te alarmes: no has sido tú quien me ha salvado; he sido yo mismo, y porque en esos momentos he tenido el buen tino de pensar en ti.

–Qué poeta que sos... –comentó Rosa.

–He publicado.

–¿Sí?

–No, broma. Pero lo estoy escribiendo. Estoy escribiéndolo todo, cada pequeño detalle de lo que ha ocurrido entre nosotros, cada pequeña...

–¡Decime que no es verdad! –interrumpió Rosa. Esteban se besó los dedos en cruz.

Rosa sonó indignada:

–¡Me vas a hacer echar!

–Te haré famosa.

Silencio.

–Es un chiste, ¿no?

–Tú dime si te has acordado de mí, y yo te digo si es una broma o no.

Silencio.

–Si sabés que sí –dijo Rosa por fin–. Ahora decime vos: ¿es un chiste?

Silencio.

–¿Es un chiste?

–¿Me creerías si te digo que sí?

Silencio.

Después, risitas.

María ni lo vio ni lo oyó, pero se hubiera jugado la cabeza a que Esteban y Rosa acababan de abrazarse. Un momento después ya estaban los dos riéndose y hablando a otra velocidad, sin impostaciones ni dramatismo.

María estaba sumamente intrigado. ¿Qué había ocurrido entre los dos? La serenidad y la seguridad en sí mismo que transparentaba Esteban le habían hecho pensar (más que el sentido de lo que decía) que se trataba de un chico demasiado inteligente para su edad. Pronto pensaría, también, que en una panorámica de las verdaderas intenciones del chico con Rosa la amistad no se vería más grande que un maní. Pero los celos vienen después. Por el momento estaba muy ocupado procesando información.

En principio, la convivencia (así la llamaba María, a pesar de no haber sido invitado) se había vuelto sumamente difícil. Debió extremar sus cuidados. En la medida en que ahora había más gente en la casa, acciones tan simples y esenciales como ir al baño o a la cocina requerían de una dosis de atención agotadora. Ya ni siquiera dormía bien, por temor a que a alguno de los chicos más pequeños se le ocurriera investigar la casa. La casa les daba miedo y, por lo tanto, los tentaba. Incluso la rata parecía estresada. La falta de sueño, la alimentación fuera de horario, la atención casi continua... era demasiado. Cada hora parecía un siglo. ¡Y por lo visto iban a quedarse hasta después de Año Nuevo! Para colmo –y esto era lo peor de todo–, seguía sin saber qué había ocurrido entre Álvaro y Rosa.

No lo supo hasta la tarde del 24 de diciembre. Entretanto había llevado a cabo algunas acciones felices *a futuro* (porque disfrutarlas ahora significaba ausentarse de lo que verdaderamente importaba): le había robado los auriculares del walkman a Esteban y se había atrevido a llevarse de la cocina una de las botellas de champagne compradas para las fiestas; hacía mucho que no bebía, ni siquiera recordaba haber probado alguna vez champagne. Esa tarde, la tarde del 24, los Blinder y sus huéspedes habían salido en masa a comprar regalos para las fiestas, así que María volvió a sentirse a sus anchas, al menos durante unas horas, las suficientes para estar de nuevo cerca de Rosa. La vio planchar, tender las camas, lloriquear, cocinar, retorcerse los dedos –desde la llegada de los familiares de los Blinder no se masturbaba– y, por fin, discar un número al teléfono.

–Me violó.

–...

–Rosa.

–...

–Que me violó.

–...

–Álvaro.

–...

–Sí.

–...

–¡Y sí, me violó! ¡Cómo que cómo me violó! ¡Me violó!

–...

–Yo sabía que...

–...

–Nada, me defendí, pero qué sé yo, me agarró y...

–...

–No, por suerte. Por lo menos eso. Me tapó la boca nomás y... Es fuerte, borracho y todo. No pude hacer mucho que digamos...

–...

–A nadie, a vos nomás.

–...

–Pst, qué denuncia voy a hacer, con la plata que tienen éstos. Además...

–...

–No, no la voy a hacer.

–...

–Es que...

–...

–¡No...!

–...

–Ya hacía rato que me venía buscando y vos sabés, yo...

–...

–¿Estás loca? ¿Cómo les voy a decir una cosa así? ¡Les digo eso y me echan!

–...

–¿Y adónde voy?

–...

–Escuchame, Claudia, yo te cuento que el tipo viene y me viola ¿y a vos lo único que te importa es la parte legal? ¿Lo que me pasa a mí no te importa?

–...

–¿Y entonces?

A María le temblaban las manos. ¡El hijo de puta de Álvaro había violado a Rosa! Tuvo ganas de llorar, pero estaba tan furioso que logró contenerse. La furia le impidió también escuchar el resto de la conversación. Rosa cortó y en el acto el teléfono empezó a llamar. Rosa atendió.

–¿Holá? –dijo. Todavía tenía en la voz el tono tembloroso de la conversación anterior.

La persona que hablaba del otro lado lo notó.

–Nada, nada –dijo Rosa.

–...

–No, en serio, nada.

–...

–No, está todo bien...

–...

–Bien, acá ando...

–...

–Sí, ya me preguntaba si no...

–...

–¿Cuándo?

–...

–No sé, porque llegaron familiares y me parece que voy a andar como loca...

–...

–Como bola sin manija, sí.

–...

–¿Y vos cómo andás, todo bien?

–...

–Bueno, pero es verdad lo que te digo. No te digo que no, pero... Otro día a lo mejor...

Era "el tipo". María ya lo venía sospechando, pero ahora, con ese "Otro día a lo mejor", estaba seguro. Rosa lo ponía en *stand by* por efecto de su último llamado, pero al mismo tiempo no le daba un no definitivo, lo que significaba que el tipo no era un tipo cualquiera, sino "el tipo". Le gustaba, era "la segunda oportunidad" que le daba la vida y, por las dudas –ya que María seguía siendo la primera pero se hacía negar–, le dejaba siempre un lugarcito.

"Lo único que le falta ahora –pensó María– es que le cuente que la violaron y ahí ya tenemos un amor." Se lo dijo de repente, sin pensarlo, brillantemente, sin sentir que lo sentía, sin resentimiento y sin reírse. Y entonces la oyó decir:

–Un problemita...

–...

–Acá, personal.

María se la vio venir, temió lo peor. ¿Tantas ganas tenía Rosa de contarle a los demás que la habían violado? Él sentía repulsión por los violadores; no le parecían nada en particular, no opinaba nada sobre ellos: simplemente le daban asco. Pero no entendía que la víctima, y Rosa más que ninguna, fuera incapaz de sobreponerse a la indignación y, en su afán de protección, hacerla explícita, en lugar de callarse y capitalizar su fuerza para utilizarla en la venganza. Ésa era para él la diferencia esencial entre el hombre y la mujer. La mujer *cuenta* lo que va a hacer y espera que otro lo haga.

María pensó que Rosa era muy inteligente, pero no quería competencia en este asunto: de Álvaro se quería encargar él. Por eso le molestaba que lo contara, porque al contarlo le creaba un competidor y al mismo tiempo lo dejaba a él en desventaja: María tenía muchísimas posibilidades menos de hacer justicia. El tipo estaba en la calle y podía interceptar al violador o fingir un choque casual y molerlo a golpes. Él no. Él estaba forzado a esperar. Por otra parte, odiaba que Rosa hablara de sexo con otro.

¿Quién era? ¿Qué podía hacer para averiguarlo? Era una buena oportunidad para llamarla (estaba solo). Subió en busca del teléfono inalámbrico y discó el número de la casa. Ocupado. Le llamó la atención, porque Rosa había cortado. Volvió a discar. Ocupado. ¿El tipo había llamado de nuevo? ¿Lo había llamado Rosa? Quizá estaba atendiendo un llamado cualquiera...

Mientras esperaba a que Rosa terminara de hablar, se entretuvo revisando las pertenencias de Loli y Ricardo. No encontró nada que le llamara la atención: pasaportes, ropa, más ropa... En un cajón de la mesita de luz encontró un cortaplumas; se lo guardó. En una cartera de American Airlines descubrió un fajo de billetes. Los contó: eran 4.500 dólares.

Pesó el fajo en la mano, como si fuera un ladrillo. Tenía que trabajar años para ganar ese dinero; lo curioso era lo poco que pesaba el trabajo de años. ¿Qué hacía, se lo quedaba? ¿Cómo reaccionarían los Blinder, pensarían que en su ausencia había entrado un ladrón o se echarían la culpa entre ellos? No podía arriesgarse: lo más probable era que culparan a Rosa. La echarían. ¿Y él? ¿Podría vivir en la mansión sin Rosa? ¿O no le quedaría más remedio que salir? No, no sería capaz de pasar un solo día en la mansión sin Rosa. Y al mismo tiempo hubiera debido quedarse, porque si la echaban y él salía y lo atrapaban iría preso, por lo cual tampoco la vería. La cárcel debía ser un lugar infinitamente peor que la mansión, de eso no tenía ninguna duda.

Los dólares le dieron rabia. Nunca había tenido un dólar en la mano y ahora que tenía cuatro mil quinientos no le servían para nada. Volvió a discar. Seguía ocupado. Fue a ver qué pasaba.

Bajó molesto con Rosa, pisando con todo el pie, como si fuera a decirle que por favor cortara de una vez. Pero Rosa ya no estaba en la cocina. María se asustó; estaba seguro de encontrarla allí –se había dejado guiar por la suposición de que el tono de ocupado se corresponde necesariamente con una persona que utiliza la línea..., se había confiado–, y al no encontrarla temió que ella le apareciera de pronto por detrás, sorprendiéndolo.

Echó un rápido vistazo fotográfico a la cocina y se alejó a los saltos, repasando durante la huída los detalles de lo que había registrado y recién ahora veía: botellas de champagne, pilas de servilletas en la mesada, el horno encendido (Rosa volvería de un momento a otro) y el teléfono mal colgado.

"¡Pst!", hizo.

Por un instante (en mitad de un salto, en el aire) consideró la posibilidad de volver y colgar correctamente el auricular. El horno encendido quería decir que Rosa no estaba demasiado lejos de la cocina, aunque, pensándolo bien, el horno es uno de esos artefactos que dan tiempo al cocinero (la otra cara de la licuadora). Imposible saber por dónde andaba Rosa en ese momento... Así que, por las dudas, desistió. De todas formas, se mantuvo cerca de allí: quería enterarse lo antes posible del momento en que Rosa se daría cuenta de que el teléfono había quedado mal colgado. Tenía que hablarle hoy sí o sí.

Entró a uno de los baños de la planta baja. Estaba desnudo, así que fue directamente a sentarse en el inodoro. Se quedó allí con la actitud aburrida de quien espera a alguien para redondear un trámite, pero después de unos minutos estiró una pierna, empujó la puerta con un pie, entrecerrándola, y empezó a hacer fuerza.

Era un buen momento para pensar.

Recordó que de chico era un líder. Y se dio cuenta de que nunca hasta ahora había entendido por qué. Era un chico callado y, por lo tanto, misterioso. Nada más que eso. No tenía ninguna otra virtud. En esa época ni siquiera tenía una cuarta parte de la agilidad de ahora. Pero sus amigos y conocidos lo respetaban y le temían.

Hablar es un problema si uno tiene algo que decir. Pero tenerlo todo sin haber dicho nada es magia, y hay que ser mago para disfrutar de la función. María, por el contrario, vivía desconcertado, incómodo. Sabía que ante la menor duda sería descubierto y expulsado, basureado. Era un líder falso. Había sido un adicto falso. ¿Sería también un...? Cuidado: alguien acaba de entrar.

María salió del baño y, por una milésima de segundo, se encontró frente a frente con la señora Blinder. Ella no alcanzó a verlo, pero cuando él retrocedió y se metió en el dormitorio, tenía una imagen completa de la ropa que la señora llevaba puesta y hasta del color de las piedras del collar.

Se escondió detrás de la puerta. La señora Blinder entró, encendió la luz, levantó la tapa de un baúl al pie de la cama, sacó algo y volvió a salir. Unos segundos después entró de nuevo. Esta vez se sentó en la cama, puso las palmas de las manos sobre las piernas y miró a izquierda y a derecha, sin ninguna razón aparente: no elongaba el cuello, no buscaba nada... Después se levantó, fue hasta la ventana, miró las cortinas, las agitó como insuflándoles aire y terminó sentándose a un escritorio, donde quedó inmóvil durante unos cuantos minutos. María pensó que las personas que son vistas sin que lo sepan parecen locas.

Hasta que entró el señor Blinder y todo volvió a la normalidad.

El señor Blinder se paseó allá y aquí con ganas de soltar un insulto (pero conteniéndose como un caballero) mientras la señora Blinder giraba lentamente la cara hacia él.

–¿Pasa algo? –le preguntó.

–Y me lo preguntás... –dijo él.

Ella parpadeó. Sabía que el tono era de pelea y, aunque no había entendido a qué se refería él con ese "Y me lo preguntás", aceptó el reto:

–¿Te molesta? –le dijo.

El señor Blinder se detuvo y la miró.

–Sí, claro que me molesta.

–¿De qué hablás? –se sinceró de pronto la señora Blinder.

–El baño –dijo él.

–¿Qué hay con el baño?

–¿Y me lo preguntás?

La señora Blinder hizo una pausa. Desvió la vista a un costado y enseguida volvió a mirarlo:

–¿Qué es, una muletilla eso ahora? –dijo–. Te pregunto qué pasa con el baño. ¿Qué pasa?

–Andá a ver vos si querés –dijo el señor Blinder con un tono entre irónico y harto.

La señora Blinder no se movió. Lo único que hizo fue despegar la vista de la cara de su esposo y fijarla en un punto cualquiera en la pared, pensativa. Después se levantó y salió del dormitorio.

Cuando volvió daba la impresión de haber presenciado un crimen.

–¿¡Pensás que eso lo hice yo!? –dijo.

–¿Por qué, fui yo? –respondió irónicamente el señor Blinder.

La señora apretó los puños.

–¿Te volviste loco? –le dijo.

–Dale, Rita, andá, tirá la cadena y vamos a dormir, que es tarde –dijo él, y se sentó en la cama y empezó a quitarse los zapatos.

La señora Blinder dio tres pasos hacia su esposo.

–Primero, yo no fui. Segundo, nada de "vamos a dormir": son las siete y media de la tarde y tenemos visitas. Te vas a dar una ducha y vamos a comer. ¿De dónde sacás que yo pude haber dejado en el baño una cosa así?

–Rita, hasta ahora te lo decía en broma, pero si insistís, vas a terminar haciéndome enojar. Tirá la cadena y cambiemos de tema.

–¡Te digo que yo no fui!

–Ok, fui yo. ¿Podés ir a tirar la cadena?

–¡No! –dijo la señora Blinder y se cruzó de brazos.

–¿Por qué gritás? –dijo el señor Blinder arrugando la cara con desprecio, como si la voz de su esposa le resultara insoportable.

–Marcos, si estás molesto por lo de hoy con Ricardo, no te la agarres conmigo, no tenés derecho. Y menos con un argumento como ese –dijo la señora Blinder señalando hacia el baño–. Somos grandes.

–No quiero discutir...

–¡Yo sí! ¡Ahora yo sí quiero discutir!

–Discutí sola entonces. Si querés discutir conmigo, primero andá y tirá la cadena. Me quiero bañar.

–Insólito.

–Lo mismo digo.

–¿Qué tenés con Ricardo, qué te pasa? ¡Es el esposo de tu hija! Hace nueve años que está con ella, no es un recién caído del cielo. Lo conocés. Sabés cómo es. El otro... ese sí que era un tarambana...

–Pero es el padre de los chicos...

–¡De uno solo!

–El mejor... –dijo en voz baja el señor Blinder.

–Qué injusto que sos –le reprochó su esposa–: los chiquitos son tus nietos también...

–¡Si yo de ellos no digo nada! ¡Lo que no me gusta es enterarme de que le niegan al chico así! Me molesta. ¿Qué querés que le haga? Esteban lo quiere, es el padre y necesita verlo... tiene derecho...

–Es drogadicto.

–¡Mentira! –saltó el señor Blinder–. ¡Lo quieren embarrar! ¡Hans es incapaz de probar la droga!

–Vamos, Marcos... estuvo preso, y en Holanda. ¡Mirá que hay que tener encima un lindo cargamento para ir preso por drogas en Holanda!, ¿eh?

–Le hicieron una cama.

–Eso dice él...

–Yo le creo. Es política. La política es igual en todo el mundo.

La señora Blinder hizo un silencio sugestivo.

–Lo soltaron. Por algo es –dijo el señor Blinder. Durante la dictadura había repetido la teoría del "por algo será"; ahora, en democracia, decía "por algo es". La irresponsabilidad como entelequia superior de la mente.

La señora Blinder no tenía más ganas de discutir. Salió del dormitorio y ya no volvió, pero el señor Blinder y María oyeron que tiraba la cadena. María estaba seguro de que la señora Blinder le había dado el gusto a su esposo por hartazgo, pensando que era imposible tratar con un hombre así. También estaba seguro de que el señor Blinder la odiaba, aunque no tanto como ella a él.

Cuando llegó Álvaro, María estaba oculto en la antecocina siguiendo la charla de Esteban y Rosa. Eran las once de la noche. Los Blinder habían terminado de cenar y tomaban café en el living mientras los más pequeños jugaban al Tetris en una computadora portátil.

Esteban se había instalado en la cocina. Cada vez que Rosa volvía del comedor (iba y venía retirando los platos sucios y poniendo la mesa para el brindis de medianoche), Esteban cruzaba unas palabras con ella.

María siguió las dos situaciones de cerca, deslizándose desde la antecocina (donde escuchaba sin ver la conversación de Esteban y Rosa) hasta el primer piso (desde donde oía y también veía, al menos en parte, la escena de los Blinder). Sabía que entre Esteban y Rosa había una cierta complicidad, producto de algo que había ocurrido tiempo atrás, cuando Esteban tenía once o doce años de edad; el asunto es que ahora el chico era más grandecito y parecía abocado a la tarea de convertir esa complicidad en unión. Y Rosa lo estimulaba, riéndose por lo bajo y festejándole cada comentario.

A pesar de los celos, María se quedó con la escena de los Blinder. Álvaro concitaba toda su atención. Lo odiaba. Álvaro estaba milagrosamente sobrio y al principio a María le costó reconocerlo: su voz parecía la voz de otro.

Lo primero que hizo Álvaro fue servirse un coñac.

–¿Comiste? –le preguntó su madre.

–Como un animal –respondió Álvaro.

Dijo que había cenado en la casa de un grupo de Alcohólicos

Anónimos y contó riéndose que lo habían perseguido alrededor de la mesa para quitarle la petaca. Lo habían conseguido. Y ahora, por lo visto, empezaba a desquitarse: en menos de diez minutos había bebido dos copas de coñac; las protestas de su madre y de su hermana se disolvieron hasta apagarse por completo entre la primera y la segunda copa. Lo conocían. No había nada que hacer.

Media hora después, Álvaro ya había recuperado su tono de voz habitual y discutía sobre fútbol inglés con frases cortas y un énfasis de *hooligan* que no molestaba a Ricardo pero sí a su padre. El señor Blinder se mantenía con la boca cerrada y la vista perdida en algún punto entre su hija y su esposa, que miraban un álbum de fotos.

Las doce. Nochebuena. Todos se levantaron y enfilaron hacia el comedor. Álvaro fue zigzagueando hasta la mesa; Ricardo descorchó una botella de champagne mientras su esposa despertaba a la nena, que se había quedado dormida. Esteban reapareció apenas un minuto antes de las doce, siguiendo a Rosa, que traía una bandeja con las copas. La señora Blinder la invitó a brindar con ellos; después podía hacer lo que quisiera.

–Quedé en ir a festejar un poco con la Claudia... –dijo Rosa.

–Si querés llamar a tu madre para saludarla... –ofreció el señor Blinder.

–Sí, gracias, señor. Enseguidita la llamo.

María aprovechó el brindis para ir a la cocina a servirse la cena. Esta vez fue generoso: se llevó unas cuantas empanadas, una buena porción de carne al horno, papas, jamón, pan y una banana. No había comido nada en todo el día. Un momento antes de retirarse vio sobre la mesada un par de botellas de vino vacías junto a media docena de botellas sin abrir. ¿Rosa notaría que faltaba una? Le pareció que no; agarró la botella y se dirigió a la mansarda. En la mano izquierda llevaba la botella; en la derecha, un plato con todo lo demás, incluido un cuchillo y un tenedor.

Ya en su cuarto arrancó el corcho con el cuchillo, bebió del pico de la botella un pequeño trago, se hizo un buche y lo tragó.

–Feliz Navidad –le dijo a la rata, y bebió un trago más largo.

Después se dispuso a comer. En el plato había una montaña de comida en desorden: el jamón había quedado debajo de la carne, con una empanada en el medio y las papas por encima de la banana, fruto del apuro. Retiró la feta de jamón y se la llevó a la boca. Le costó tragar. Tenía hambre, pero la presencia de Álvaro le cerraba la garganta. En la medida en que estuvo en su campo de visión, no le había quitado los ojos de encima; lo miró tan fijamente desde la sombra que le extrañó que Álvaro no lo percibiera.

Dejó el plato a un lado y se empujó hacia atrás con los talones sobre la cama hasta que la espalda quedó apoyada en la pared. Se sentía mareado. Un cosquilleo de electricidad que bajaba desde sus hombros y otro que le subía desde la cintura se encontraron en la boca de su estómago, como si ese fuera el sitio que habían elegido la furia y el relax para chocar. Entrecerró los ojos.

Después oyó una bocina, las voces de unos chicos en la calle, y sintió que había pasado mucho tiempo desde el instante en que cerró los ojos. Estaba aturdido. El odio que había sentido aquella tarde por el capataz era nada en comparación con el que ahora sentía por Álvaro, y se preguntó cómo era posible que se hubiera quedado dormido. Recordó haber dejado bajo el placard un triángulo de jamón para la rata... Había bebido apenas un par de tragos de vino... Sacudió la cabeza, se levantó y bajó rápido hasta el primer piso.

No tenía idea de la hora, pero debía ser tarde: en el comedor no había nadie, las luces de la planta baja estaban apagadas. Corrió hasta el cuarto de Rosa. No se atrevió a abrir la puerta, pero oyó o creyó oír su respiración y supo que dormía.

Era una noche cerrada; desde afuera no se filtraba la más mínima luz. María avanzó de memoria por la sala, se asomó al dormitorio de los Blinder, que jamás cerraban completamente la puerta, y entrevió dos bultos inmóviles en la cama, muy apartados el uno del otro.

El reloj de la cocina indicaba las tres y veinte de la mañana. Volvió al living. Estaba cansado, como si las horas que había dormido lo hubieran agotado. Se dejó caer en un sillón.

En la última visita de Álvaro, María lo había escuchado decir que hacía seis meses ya que no fumaba. Pero había olor a cigarrillo en el aire. Se inclinó lentamente hacia adelante y palpó varias colillas en un cenicero sobre la mesita ratona. Estaban consumidas hasta el filtro, menos una; la agarró y, palpándola con la punta de los dedos, como un ciego, notó que aún restaban dos o tres centímetros de cigarrillo y que no había sido apagado sino abandonado; el cigarrillo se había consumido y apagado solo: el papel estaba liso y sin fisuras. Se lo llevó a los labios.

No pensaba encenderlo allí; se lo llevó a los labios solo para sentir su forma, pero lo que sintió fue una náusea: el filtro aún estaba húmedo con la saliva de Álvaro. Lo dejó caer, asqueado, separando los dedos de golpe.

Y entonces oyó una aspiración pesada, casi un ronquido. Se irguió, se paralizó. Alguien dormía en el sillón de enfrente. Estaba a menos de cinco metros de él, al otro lado de la mesa ratona, despatarrado y con la cabeza inclinada hacia la izquierda. Sobre el respaldo del sillón, a la derecha de su cabeza, colgaba un abrigo; una de las mangas del abrigo se apoyaba sobre su pierna.

María se levantó milímetro a milímetro y avanzó hacia el sillón; la aguja del minutero del reloj de la cocina se movía más rápido que él.

Era Álvaro. María contuvo la respiración. Que se tratara de Álvaro le pareció tan obvio que estuvo a punto de irse, pero decidió darse otra oportunidad: se inclinó hacia adelante y le puso las manos en el cuello. Álvaro sacudió los hombros como si algo menor lo molestara, una mosca, una corriente de aire frío.

María aumentó la presión. Entonces Álvaro abrió los ojos y vio que un extraño completamente desnudo le apretaba el cuello. La combinación de sueño, alcohol y extrañeza le arrancó una sonrisa. Intentó ponerse de pie, pero María se le sentó sobre las piernas, inmovilizándolo, y aumentó la presión sobre su cuello.

–Hola –le dijo.

Presionó con tanta fuerza que oyó un ruido de huesitos que se rompen.

Le llamó la atención la docilidad de Álvaro, su nula resistencia, como si en el trance de morir hubiera optado por creer que se trataba de un sueño. Después de un momento, incluso, Álvaro cerró los ojos y su cara desapareció. María supuso que la cara de Álvaro debía haberse puesto tan morada que se confundía con la oscuridad. Recién entonces lo soltó. Transpiraba. Una gota de sudor cayó desde la punta de su nariz; le temblaban las manos, los brazos. Ahora que lo había matado, lo odiaba todavía más.

Se quedó un buen rato sentado sobre las piernas de Álvaro reprochándose no haber tenido la serenidad suficiente para decirle que el que lo mataba era el novio de Rosa. Después, finalmente, se levantó y fue a sentarse en el sofá. Estaba agotado.

"Bueno –se dijo–, ¿y ahora?" Podía abrir la puerta de la cocina y la puerta de calle y quedarse con las llaves, de manera tal que los Blinder pensaran que el asesino había ingresado a la casa en algún momento de la noche, un ladrón. Pero en ese caso sería lógico que faltara algo de valor en la casa... quizá los dólares de Ricardo, quizá las joyas de la señora Blinder... Lo desechó enseguida: meterse en el dormitorio de Ricardo para robar los dólares era demasiado arriesgado, lo mismo que ir a buscar las joyas de la señora. No tenía información suficiente sobre las relaciones de Álvaro con su familia o fuera de ella para apoyarse en un móvil de tipo pasional, y además nadie hubiera creído durante más de un minuto que Ricardo o el señor Blinder (porque había sido un hombre, sin duda) hubieran sido capaces de matarlo; ni Ricardo ni el señor Blinder tenían la fuerza suficiente para ahorcarlo, por más borracho que estuviera Álvaro. De todas formas, nadie tenía la menor sospecha de su presencia en la casa, nadie lo buscaría. Lo más probable era que la policía se forzara a sí misma a creer cualquiera de las dos posibilidades que él dejara planteadas, tanto si abría las puertas como si no las abría. Pero en los dos casos revisarían minuciosamente la casa, quizá incluso se quedarían allí durante algún tiempo, con lo cual él moriría de hambre o de sed, si es que no era descubierto antes; quizá los Blinder decidieran abandonar la casa para instalarse en un hotel, o en la casa de amigos, aterrados o asqueados por el crimen. ¿Y qué sería entonces de Rosa... y de él?

Todo esto ocupó su mente por el tiempo de un suspiro. En realidad, desde que se dejó caer en el sofá y hasta que se puso otra vez en movimiento, cinco o seis minutos después, no hizo otra cosa que reponer el aire y la fuerza: sabía lo que iba a hacer, no necesitaba pensar en nada; tenía una idea y, a juzgar por la rapidez con que se le secó la transpiración del cuerpo, era una idea brillante.

Subió a su cuarto.

Al oírlo entrar, la rata saltó desde la cama y se desplazó perezosa, confianzudamente, hacia el placard. María agarró el plato de comida que unas horas atrás había dejado sobre la cama y volvió a salir.

Tuvo todavía el aplomo para desviarse de su camino y entrar a la cocina a ver la hora. Había tenido la impresión de que amanecía, pero eran las cinco de la mañana; el cielo se había despejado y había un poco más de luz, solo eso. Tenía tiempo de sobra hasta el amanecer. No obstante, se sintió perplejo por el desfase entre su percepción del tiempo y el tiempo real; hubiera jurado que todo había sucedido en apenas minutos.

Dejó el plato en la mesita ratona, cargó a Álvaro, lo arrancó del sillón y lo acostó boca arriba en el sofá. Había oído hablar en la televisión sobre el peso de los muertos, pero Álvaro le pareció de lo más liviano. Se sentó a su lado, agarró un pedazo de carne del plato y se lo llevó a la boca. Lo masticó. Después escupió la carne masticada sobre su mano, la introdujo en la boca de Álvaro y con dos dedos la empujó hasta el fondo de la garganta.

Repitió la operación hasta que no quedó más carne en el plato. Entonces añadió las empanadas y un poco de jamón y de pan.

Lo había rellenado como a un pavo.

Lo único que restaba esperar era que, si al día siguiente había alguna duda sobre la causa de la muerte de Álvaro (asfixia por regurgitación) y alguien decidía hacer una visita al grupo de Alcohólicos Anónimos con los que había cenado en Nochebuena, coincidiera el menú.

Por lo demás –y era una suerte que fuera así–, María ya no tenía absolutamente nada de hambre. Estaba satisfecho. Se levantó, agarró el plato (asintió con la cabeza al ver que aún, por las dudas, le quedaba la banana) y desapareció en la oscuridad.

15

Lo primero que hizo al otro día cuando se despertó fue desayunar la banana. Después pasó la lengua por el plato barriendo restos de carne y de una salsa con gusto a ciruelas y mantuvo una de sus conversaciones imaginarias con Rosa.

—Para gustarle a los demás no hay que ser hermoso, hay que ser horrible.

—¿Por?

—¿Cómo "por"? Pensalo un minuto. Tenés que decir lo que los otros quieren escuchar, tenés que sonreírle a cualquiera, tenés que ser impersonal, transparente y un montón de cosas más, todas horribles. ¿Y al final qué? Te morís. Nos morimos. ¿No pensaste que cuando vos te mueras y cuando se mueran los que te conocieron no va a quedar nada de vos, ni la memoria?

—Estás profundo...

—No, qué profundo, es una pavada. Lo que pasa es que la gente no lo quiere ver. Unos porque no pueden y otros porque lo ven pero... ¿Qué pasa entre vos y el chico ese?

Iba a responderse con la voz de Rosa cuando efectivamente *la oyó*:

—¡María!

Se le cortó la respiración.

Salió cuidadosamente del cuarto, comprobó que no había nadie a la vista y se deslizó a toda velocidad hacia la cocina. Durante el trayecto oyó a Rosa que volvía a llamarlo, pero ahora desde el jardincito frente a la entrada de servicio.

En la cocina no había nadie. La puerta de salida estaba abierta de par en par. María se acercó a la ventana y miró hacia afuera. La puerta reja también estaba abierta, pero no vio a Rosa por ninguna parte. Un minuto después Rosa entró desde la calle. Estaba agitada, como si hubiera corrido. Cerró la puerta reja con llave y caminó de regreso; iba apesadumbrada. María la vio venir y se ocultó detrás de una pared en la antecocina. Era un lugar inseguro, porque si Rosa iba a buscar algo a la alacena, él no hubiera tenido ninguna chance de escapar hacia el pasillo o la escalera sin ser visto. Pero Rosa se sentó a la mesa, apoyó la frente sobre los brazos y se puso a llorar.

María la observó un momento. Después retrocedió lentamente hasta la escalera y subió corriendo en busca del teléfono. Tenía un millón de cosas que preguntarle.

–¿Rosa? –dijo cuando ella atendió.

–¡Te vi, te llamé y te hiciste el que no me oías! –dijo Rosa de un tirón, con la voz entrecortada–. ¿Por qué me hacés esto, qué te pasó, qué te cambió así? ¿Por qué jugás conmigo?

María entendió que Rosa había visto pasar por la vereda a alguien parecido a él. Lo había llamado, lo había corrido durante unos metros –quizá hasta la esquina, pero no mucho más allá, teniendo en cuenta que había dejado la casa sola y abierta– gritándole sin obtener respuesta.

–No era yo.

–¡Te hiciste el distraído, me viste que te llamaba y te hiciste el que no escuchabas!

–No era yo, Rosa. Me confundiste con otro.

(Llanto.)

–¿Cómo estoy vestido, a ver? –preguntó María. En ese momento llevaba puesta nada más que la camisa (había refrescado un poco en la mañana).

–Todo azul.

–¿Ves? No estoy de azul.

–¿Y cómo sé yo que no me mentís si no te veo?

María pensó un instante.

Estaba a punto de decir algo así como "creeme" o "por qué te voy a mentir" cuando Rosa le preguntó:

—¿De dónde me hablás?

—De un teléfono público...

—¿Por qué no venís? ¿No vas a explicarme nunca qué es lo que pasa?

—Te quiero, eso es lo único que importa.

—Yo también te quiero, pero eso qué tiene que ver. Te juro que me da vueltas la cabeza, María... No sé qué... No entiendo nada...

—¿Y?

—¿Y qué?

—¿Te arrastra el ala todavía el tipo ese?

—¿Qué tipo?

—Dale, Rosa, no empecemos... ¿Quién es?

—No te importa.

—¡Ah!, ¿ves que tengo razón, que hay un tipo? ¿Quién es?

—Nadie.

—Decime quién es.

—Vos decime primero qué pasó, por qué estás actuando así, y yo... Pst, no importa, qué me venís ahora con ese gordo cuando yo ni sé por qué te fuiste así. Pensé que me querías...

—¿Es gordo, decís?

—No sé si gordo. Grande.

—¿Lo conozco yo?

—Te voy a cortar. Me lastimás.

—¡No, esperá, no cortes, Rosa, es importante! Yo también te quiero...

—No te creo.

—Te lo juro por Dios. ¿Lo conozco yo?

—¿A quién?

—¡Al gordo, al grandote!

Silencio.

—Escuchame, Rosa. No te puedo explicar mucho. Tenés que creerme, tenés que confiar en mí. De verdad que te quiero. Daría una mano y la mitad de la otra por un beso tuyo, pero no puedo. Escuchame con atención, mi amor: no puedo. *No puedo*. Tenés que tener paciencia, porque en algún momento voy a poder y... Por ahora las cosas son así.

–¿Estás preso?

–Ya te dije que no.

–¿Y entonces?

–¿Quién es el gordo que decís? ¿Lo conozco yo?

Silencio.

–¿Rosa?

–No puedo creer que insistas con eso. Para mí no tiene ninguna importancia. Él me persigue, pero yo ni le llevo el apunte. Yo lo único que hago es pensar en vos. ¡Me siento tan sola! Y más ahora... ¿Te acordás que te hablé de Álvaro, el hijo de los señores, que chupaba como una esponja? Bueno, esta mañana lo encontraron muerto en el living.

–¿Qué le pasó?

–Para mí que lo mataron.

–¿Qué? –preguntó María después de una pausa.

–Vomitó dormido y se ahogó. Ahora lo fueron a enterrar, no quisieron velarlo ni nada: derechito al cajón. Bah, adelante mío dijeron que lo llevaban a velar... a no sé dónde..., pero para mí que lo fueron a enterrar directamente. Nadie lo quería acá.

–¿Por qué decís que lo mataron?

–No sé... Pálpito.

–¿Y quién lo va a matar ahí adentro?

–No sé. Pero no me hagas caso. A lo mejor de verdad se ahogó y yo estoy acá diciendo que... ¿Mi amor?

–Sí...

–¿Estás lejos?

–No...

–¿Pasás a veces por acá? ¡Te tengo que cortar! –dijo de pronto Rosa–. ¡Viene alguien! Llamame después. Y despreocupate, que no le dije a nadie que me llamás... Te dejo, te dejo, te amo.

Y cortó.

Enseguida Esteban entró a la cocina. Iba vestido como un militante católico, con un saco azul, pantalón gris, camisa blanca, corbata y mocasines al tono.

—Preparate —le dijo a Rosa—. El abuelo está furioso: le daba todo el tiempo ocupado. Y para colmo la otra línea *también* le daba ocupada.

—¡Dios mío, debo haber dejado mal colgado... cuando limpié...!

Rosa fue corriendo hacia el primer piso. María, que había alcanzado a escuchar buena parte de la conversación, corría delante de ella. Le llevaba varios metros de ventaja, así que llegó al teléfono antes que Rosa, lo descolgó y, sin pensar en lo que hacía, se escabulló detrás de unas cortinas. Pero Rosa estaba tan preocupada por el reto que le daría el señor Blinder apenas llegara que no advirtió que las cortinas se balanceaban.

Colgó el auricular y se persignó. Enseguida volvió la vista hacia el teléfono. Estaba tibio.

16

No había sentido ningún remordimiento, pero tampoco alivio. Todo lo contrario: estaba molesto. Le hubiera gustado hablar con Rosa, decirle que el asesino era él y que lo había hecho por ella. No esperaría que Rosa lo aplaudiese, pero le hubiera encantado ver en su cara (por encima de una expresión de espanto) el alivio que no sentía él. Era una fantasía irracional más que delirante, producto de su condición de fantasma; privado como estaba de hablar, de ser visto y hasta de hacer ruido, sus fantasías se llevaban todo por delante. Si no estuviera viviendo oculto en la mansión pero igualmente hubiera matado a Álvaro, ni se le cruzaría por la cabeza decirle que había sido él. Y ahora, encima, tendría que cuidarse de hablarle por teléfono: no se le había ocurrido que alguien podía llamar a la segunda línea si la primera daba ocupada.

Por el momento no había mucho que hacer. Durante dos o tres días a su regreso del cementerio, los Blinder suspendieron los paseos por la ciudad y limitaron al mínimo las salidas de la casa. ¿El señor Blinder había retado a Rosa por ocupar la línea telefónica, por el descuido de la segunda línea descolgada? Probablemente no, aunque era difícil saberlo con certeza, en la medida en que la presencia casi permanente de los Blinder en la casa lo obligó a mantenerse alejado de la planta baja y también, por momentos, del primer piso, donde a los más chicos se les había dado por jugar, principalmente a las escondidas.

De cualquier manera, hizo un par de incursiones a distintas horas del día y no percibió en los Blinder ningún signo de dolor. La muerte de Álvaro, más que afectarlos, pareció compactarlos: andaban en bloque, siempre cerca el uno del otro, como si el espacio se hubiera encogido.

Hasta que una especie de acuerdo espontáneo y repentino no los devolvió a su ritmo habitual –como si el duelo fuera una formalidad con la que acababan de cumplir– lo más entretenido que hicieron fue pasar horas y más horas sentados en los sillones de la sala mirando televisión, todos ausentes, todos pensativos. Excepto los chicos, nadie hablaba.

Fueron dos días largos y tediosos. La ansiedad no lo dejaba leer... ¿Por qué Rosa había dicho que creía que a Álvaro lo habían matado? Hizo gimnasia... ¿Quién era el grandote que la llamaba por teléfono? Descubrió que el walkman no funcionaba... Sintió el impulso de estrellado contra el suelo, pero lo dejó sobre la cama y se levantó.

Apartó dos centímetros una hoja de la persiana, arrimó un ojo a la abertura y se puso a mirar hacia afuera. Eso lo tranquilizaba. Cada vez que miraba hacia afuera se sorprendía con el hecho de que en ese recorte de la realidad, como llamaba al exterior, pudiera ver toda la realidad. Un panorama de no más de treinta metros de largo, desde el edificio con balcones de acrílico amarillo hasta la esquina al otro lado de la calle, le bastaba para percibir el ánimo general, al menos el de la clase alta; para entrever el nivel de desempleo, de acuerdo al aumento o disminución de cartoneros y vendedores ambulantes; para conocer los últimos lanzamientos de la industria automotriz; para estar al tanto de las novedades en el mundo de la moda; para saber la hora y la temperatura y hasta para enterarse de algunas actividades en la planta baja: quién entraba, quién salía, si había llegado un nuevo encargo al Disco... De noche, en los vidrios de los autos estacionados frente a la casa, veía el reflejo de las luces de la cocina. La temperatura en el interior de la casa era siempre más baja que en la calle, pero se hacía una idea aproximada de la temperatura "real" por la forma en que iba vestida la gente, además de ubicarse en el tiempo de acuerdo a la actitud o al apuro que llevaban. Inesperadamente vio a Rosa: cruzaba el jardincito lateral en dirección a la puerta de calle.

Le gustó verla. Sintió que se animaba; su cara se iluminó como si acabara de aspirar una burbuja de aire infantil. Pero había algo en Rosa que no estaba bien... Caminaba despacio, pensativa, con los brazos cruzados...

La palabra es exactamente esa: pensativa. Rosa apoyó la frente en las rejas y movió apenas la cabeza mirando a izquierda y derecha de la vereda. No daba la impresión de esperar a alguien sino de buscarlo. Quizá, teniendo en cuenta que estaba pensativa, lo suyo no fuera más que una idea, una idea de María. Rosa había encogido los hombros. Una brisa suave pero continua mantenía inclinada su pollera, sin agitarla. Debían de ser las seis o siete de la tarde: el dorado brillante del atardecer hacía que su pelo pareciera más negro que nunca.

Y entonces, sorpresivamente, Rosa se dio vuelta y miró hacia arriba, hacia la ventana. María no tuvo tiempo de apartarse. Quedó inmóvil, con la cabeza trabajando a la velocidad del rayo. Si se alejaba de la ventana, Rosa percibiría el movimiento y lo descubriría.

Durante unos segundos que a María le parecieron horas, Rosa mantuvo la vista en la ranura entre las dos persianas. ¿Lo había visto, lo estaba mirando? Por su actitud le pareció que no: seguía con los brazos cruzados. En su cara no había el más mínimo gesto de asombro. Seguramente, pensó, no alcanzaba a distinguirlo en la oscuridad del cuarto y estaba reprochándose el olvido de una ventana mal cerrada. Sin embargo, la mirada de Rosa apuntaba directamente a su ojo... No estaba por debajo o por encima de su ojo, sino fija en él.

Rosa despegó los labios, dejó caer los brazos, como si acabara de advertir algo tremendo, y entró caminando rápido a la casa.

María echó un vistazo al cuarto: no había ningún cambio, estaba todo tal cual lo había encontrado el primer día. Agarró el walkman, los auriculares y el libro del doctor Dyer, salió, cerró la puerta y corrió a esconderse en el desván.

Rosa apareció en la mansarda un minuto después. Había subido corriendo y estaba agitada. Fue directamente al cuarto de María. Pero no entró con el impulso con el que había llegado hasta allí: los últimos metros hasta la puerta los recorrió aminorando el paso (adentro, desde ya, no soplaba ninguna brisa, aunque su pollera seguía inclinada), como si quisiera detenerse y no pudiera.

Puso una mano en el picaporte y abrió la puerta muy despacio. Se detuvo. Por un instante dio la impresión de olfatear el aire del cuarto, estirando apenas la cabeza hacia adentro. Todavía del lado de afuera miró hacia atrás, como si alguien pudiera estar observándola. Después, finalmente, entró.

Fue hasta la ventana paso a paso, mirando a un lado y a otro, incluso arriba y abajo, y cerró la persiana. María notó cierto apuro, un apuro sin temor, un apuro de alivio, un regreso a la normalidad. "No era nada." Pero estaba a punto de irse cuando de pronto algo la hizo gritar. Soltó un alarido tan agudo que se oyó en la planta baja.

La voz del señor Blinder llegó a la mansarda con un segundo de retraso:

–¿Pasa algo?

Rosa salió del cuarto dando saltitos inconexos. Parecía estar quemándose los pies.

–¡Una rata! –chilló, y se lanzó corriendo escaleras abajo. Enseguida subió Ricardo, siguiendo a los chicos. Era la primera vez que iban a la mansarda. Ricardo parecía desconcertado, no tenía la menor idea del lugar en el que Rosa había visto la rata ni de lo que haría si él también tenía la desgracia de verla, pero los chicos, estimulados por el asco de los mayores –y más que nada de su padre, ya que el señor y la señora Blinder no daban señales de vida–, corrían allá y aquí con una familiaridad de reencarnados.

María temió que descubrieran el desván; si lo hacían, sería difícil contenerlos. Afortunadamente, Ricardo hizo un gesto enérgico y chistó ordenándoles que se quedaran quietos. Los chicos obedecieron.

–Estaba ahí –dijo Rosa, que acababa de regresar.

Sonaba tranquila: el asunto ya no le importaba en lo más mínimo. Pasada la primera impresión, había vuelto a subir quizá porque el señor o la señora Blinder le habían pedido que lo hiciera, no porque tuviera interés en atrapar a la rata. Además era muy probable que no fuera ésa la primera rata que veía en la casa.

–¿Dónde? –preguntó Ricardo.

Rosa señaló el cuarto.

—Pero se fue... —dijo con desgano—, salió para allá...

—¡Chicos, chicos! —dijo Ricardo llamando a sus hijos, que ya corrían hacia el lugar que indicaba Rosa vagamente: una excusa para huir.

María había cerrado la puerta y seguía la escena por el ojo de la cerradura. La perspectiva hacía que el campo de visión le sobrara, pero tenía que adivinar lo que Rosa y Ricardo se decían.

—Bueno, si es así... —dijo Ricardo encogiéndose de hombros.

—Ya va a aparecer... —dijo Rosa.

Ricardo no dijo nada más. Hizo una seña a los chicos y los tres empezaron a bajar la escalera en fila india. En mitad del trayecto, Ricardo, repentinamente animado, adelantó las garras, soltó un gruñido y corrió detrás de sus hijos, que aceptaron el juego y lo ganaron de antemano: eran mucho más veloces que él.

Rosa cerró la puerta del cuarto, se guardó la llave y los siguió.

17

En la mansarda había siete dormitorios a lo largo de un pasillo en L, un estudio, un cuarto de juegos (convertido en desván), un cuarto de plancha, un lavadero y dos baños, además de un hall enorme y de una salita desierta que María alguna vez había oído llamar "África". Así que no tuvo ningún inconveniente en instalarse en otro dormitorio (aunque cuando Rosa cerró la puerta y se llevó la llave, él sintió por un instante que había quedado "en la calle").

Eligió el último dormitorio a la izquierda. Apenas reuniera el valor suficiente para entreabrir de nuevo las persianas, vería que estaba mucho más cerca de la esquina que antes; por el momento se dedicó a inspeccionarlo: tenía las mismas dimensiones que el anterior, la misma cama, ubicada en el mismo lugar y con el mismo colchón. Se sentó, lo probó, levantó la vista... No había placard sino un armario, un mueblecito de circunstancia apoyado contra la pared junto a la cama, con tres cajones vacíos y una vieja calcomanía del sello discográfico de Los Beatles, *Apple*, pegada en la puerta, seguramente de una mucama de avanzada, por aquella época...

Si la rata había hecho con Rosa lo mismo que había hecho con él la primera vez que la vio (describir un círculo, dando la impresión de que escapaba, pero volviendo al punto de partida), era probable que ahora estuviera encerrada en el cuarto. ¿Por qué Rosa se había llevado la llave? Ninguno de los seis dormitorios restantes estaba cerrado con llave. ¿Por qué había cerrado ese? Sus padres, en los últimos meses de matrimonio, habían vivido en cuartos separados, y cada vez que alguno de ellos salía de la casa, cerraba la puerta de su dormitorio con llave. No tenían nada que ocultar: lo hacían más que nada como una forma de acentuar su rechazo por el otro. El problema era que en su casa había sólo dos cuartos, el de sus padres y el suyo, donde se había instalado su madre, de manera tal que cuando era ella la que salía de la casa, él no podía entrar a su propio cuarto. A veces volvía tarde. María amanecía en su cama, porque ella lo llevaba hasta allí de noche, alzándolo del sillón de caña del comedor donde se había quedado dormido. Otras veces, si se hacía demasiado tarde, su padre se apiadaba de él y lo invitaba a esperar en su cama, pero eso ocurría en contadas ocasiones y siempre lo despertaba para que se fuera de allí cuando escuchaba que la puerta de calle se abría.

18

El 3 de enero, mientras Ricardo y Rita hacían las valijas y los más chicos miraban televisión, Esteban entró al cuarto de Rosa.

El tono de Rosa al verlo entrar fue de sorpresa. Le pidió que saliera, pero Esteban dijo algo en voz baja, una frase larga que sonó como un siseo y con la que pareció convencerla de que lo dejara estar allí. Siguió un silencio. Después, susurros, alguna que otra risita y un refregar de suelas en el piso, como si Esteban hubiera corrido a Rosa por el cuarto y acabara de darle alcance...

Por un momento Rosa fue la única que habló. Parecía haberse multiplicado:

–¡Esteban!

–¡No, Esteban, puede entrar alguien...!

–Quedate quieto...

–Quedate quieto, Esteban...

–¡No!

–¡Pero te digo que no!

–Mirá que sos, ¿eh?

Ahora hablaba Esteban y Rosa callaba:

–Me marcho.

–Pensé que... pues...

–OK. Lo siento.

Silencio.

–¿Estás molesta conmigo? –Esteban.

–No... –Rosa.

–¿Seguro? –Esteban.

Rosa asintió con la cabeza.

–Pues yo sí estoy molesto contigo, y mucho –dijo Esteban. Rosa levantó la vista hacia él.

Esteban dijo:

–¿Te crees que no sé que estás noviando con ese estúpido grandote repleto de hoyuelos?

–No tiene nada que ver, Esteban. Además...

Silencio.

–¿Además qué?

–Nada.

–¡No, vamos, dilo, dilo! ¿Yo soy demasiado joven para ti? ¿Eso ibas a decir? Pues el año pasado no lo parecía así...

–Fue un juego.

–¡Claro!

–De verdad te digo.

–Mi psicólogo no piensa que haya sido un juego...

–¿¡Le contaste al psicólogo!?

–Obvio. Y no tienes idea de lo que he debido suplicar para que no hable con mis padres.

–Uy...

–El tío me lanzó un rosario de términos legales. Te aseguro que aún siento en la espina dorsal el sudor helado que me corrió aquella vez. Con el psicólogo, digo. No contigo. Contigo fue...

–¿Por qué le contaste?

–¡Porque le pago, claro!

–Qué locura...

–No te persignes, eso no va a ayudarnos. Puedo asegurarte que este año vuelvo a Londres mucho peor que el año pasado. Desde que estoy aquí no he pegado un ojo... Oye, Rosa, no quiero presionarte, no quisiera que entiendas que te cuento estas cosas para obligarte a nada. ¡Es que tenía una ilusión tan grande con...!

–No llores...

–OK. Olvidémoslo. No es tu culpa. Mis problemas de conducta, mis arranques de furia, mis pesadillas... ¿qué tienes tú que ver con eso? Fui yo el que se dejó. He sido un tonto...

–Esteban...

–Me voy. Nos vemos el año próximo. Espero haberme olvidado de ti para entonces...

–¿Tu papá y tu mamá dónde están?

–Preparan las valijas...

–¿Los señores ya volvieron?

–¿Mis abuelos?

–Sí.

–No, todavía no han regresado.

–Tenemos que hacerlo muy rápido.

–Como tú digas, mi amor.

–Pero antes prometeme algo: el año que viene cambiamos de tema.

–Prometido.

–Jurámelo por Dios.

–Lo juro por Dios.

–Vení, parate acá...

Entonces María oyó las voces de los más pequeños que se acercaban y apenas si tuvo tiempo de ocultarse. El corazón le latía con fuerza, con eco, como si tuviera dos corazones en lugar de uno.

Los chicos avanzaron corriendo por el pasillo. Daban grititos histéricos. Inmediatamente Esteban salió del cuarto ajustándose el cierre del pantalón; estaba pálido, asustado. Los chicos se lo llevaron por delante. No parecieron sorprenderse por haber chocado de pronto con su hermano mayor, sino ansiosos por librarse de él y seguir corriendo. Pero Esteban los agarró de un brazo y los sacudió con violencia. Estaba a punto de ordenarles que se fueran de allí cuando de pronto apareció Ricardo. Venía imitando un rugido, con las manos abiertas como garras y una mueca de monstruo en la cara.

Esteban lo vio y le sonrió:

–¡Los atrapé! –dijo, disimulando.

Ricardo irguió la espalda y dejó caer los brazos.

–¿Qué hacés vos acá? –le preguntó.

–¿Es que no puedo dar un paseo por la casa? –respondió Esteban.

Ricardo pensó un segundo.

–Vengan todos, terminó el juego –dijo después–, nos vamos.

–¿Ya? –preguntó Esteban.

–Sí, ya –le dijo su padre.

Era una orden.

Esteban se unió a sus hermanos con un soplido de mal humor y un gesto de interruptus muy severo en toda la cara.

Ricardo los siguió con la vista mientras los tres pasaban a su lado en dirección a la escalera. Después salió tras ellos, cerrando la marcha como un animal que arrea a sus crías.

19

–Rosa, soy yo...

–Ah, María...

–¿Todo bien?

–Qué sé yo...

–¿Qué tenés?

–De todo...

–Contame...

–No, dejá...

–¡Dale, contame, mi amor, no seas tonta! ¿Qué te pasa?

–¿Dónde estás?

–No empecemos...

–Estuvieron acá los hijos de los señores con los chicos, no sé si te conté la otra vez que hablamos, pero... –Rosa se interrumpió.

–¿Pero?

–Nada, eso todo bien. No sé qué te iba a decir...

–¿Tuviste algún problema?

–¿Con quién?

–Con ellos. O con alguno de ellos, no sé...

–No...

–Por cómo lo decís pareciera que sí. ¡No me vas a decir que alguno se tiró un lance!

–¿Conmigo?

–Sí...

–¿Y quién se me va a tirar un lance?

–No sé, qué sé yo, eso lo sabrás vos...

Rosa hizo un silencio.

–¿Sí? ¿Se te tiró un lance alguien? –insistió María. Rosa le cambió de tema.

–¿Sabés qué te quería contar? Que el otro día estaba acá afuera y de golpe me di vuelta y... no me vas a creer, vas a pensar que estoy loca... me pareció que había alguien acá arriba, en una pieza, en el piso de más arriba, una persona...

–Y bueno –dijo María después de una pausa–, capaz que era alguien de la casa...

–Sí, puede ser –dijo Rosa, de pronto desanimada–. Yo subí enseguida y no había nadie... Había una rata, ¿sabés? ¡Uy, me olvidé que tengo que poner el veneno!

–¿Por una rata vas a poner veneno?

–Me dijo la señora. Está bien. Si hay una es porque hay más. Yo es la primera vez que veo una. Cuando entré a trabajar acá pensaba que estaba todo lleno de lauchas, pero no. Esta es la primera que veo. No, miento, vi otra una vez. Pero hace tanto... María, ¿no vas a venir? ¿En qué andás?

Esta vez fue María el que cambió de tema:

–¿Y el gordo ese que me contabas la otra vuelta que te andaba persiguiendo? –le preguntó.

Ahora le cambió de tema Rosa:

–¡Ah, no sabés: la otra vuelta daba ocupado el teléfono y yo subí a ver si lo había dejado mal colgado y toqué el teléfono y estaba tibio! Tibio, como si lo hubiera estado usando alguien... como si alguien lo hubiera estado usando justo hasta que yo llegué...

A María se le puso la piel de gallina. Echó un rápido vistazo a su alrededor en busca de un trapo o un paño con el cual sostener el auricular a partir de ahora, por prevención, por si después de cortar la comunicación a Rosa se le cruzaba por la cabeza la sospecha de que era él quien le hablaba y subía a ver si el teléfono estaba tibio o no. Pero no había nada con lo que pudiera envolver el auricular. La casa parecía tan desnuda como él. Por primera vez desde que vivía allí notó que los materiales principales en la mansión eran el mármol, la madera y el metal. Las únicas fibras a la vista eran las de las alfombras y las cortinas. Todo lo contrario de su casa, en la que había trapos y pedazos de tela por todas partes...

No tuvo más remedio que sostener el auricular con dos dedos, con el índice y el pulgar, como si el teléfono de pronto quemara o le diera asco.

–¿No estarás un poco paranoica?

–Sí, puede ser... No sé, me pareció...

–Hace tanto calor si lo pensás...

–Pero acá no. Acá el calor llega en otoño. ¿Sabés que en el mar... lo leí el otro día en la *Selecciones*... sabés por qué el agua de mar está fría de día y caliente de noche?

–¿Por qué?

–Porque el sol calienta el agua de día. Pero tarda. El sol está ahí todo el día calentando y calentando y el resultado se aprecia a la noche. Y a la noche lo mismo. De noche el agua se va enfriando despacito, despacito, y el frío lo sentís de día.

–¿Fuiste a Mar del Plata alguna vez? Qué increíble, nunca te lo había preguntado...

–No. ¿Vos? Yo tampoco te lo había preguntado...

–Sí, yo fui una vez, hace bastante. Es lindo.

–Me imagino que te habrás sacado una foto con esos dos osos que hay ahí en la entrada al balneario...

–Lobos son. Lobos de mar. No, no me saqué, no tenía máquina. Porque no fui de vacaciones: fui a trabajar. Hicimos un edificio de treinta pisos, treinta y cinco, no me acuerdo. Una maza. ¡Hacía un calor! ¡Parecía un hormiguero lo que veía yo de arriba!

–¿Y los domingos? ¿También trabajabas los domingos?

–No, los domingos sí, me iba al balneario. Pero de abajo no parece tanta gente. Te acostumbrás.

–¿Y tengo razón yo, el agua estaba fría o no?

–A veces. Un domingo sí, otro no. ¿Sabés a quién lo vi un día?

–¡A Cristian Castro!

–No, ojalá. A Juan Leyrado. Tenía gorrita, anteojos, panza, ojotas, remera, qué sé yo, parecía un marciano, pero lo reconocí igual. Y otra vez lo vi también a Adolfo Bioy Casares, no se si lo ubicás...

–No...

–Un escritor. Qué raro que no sepas quién es, es un escritor muy famoso. Yo lo vi en un montón de fotos.

–No me doy cuenta...

–Me dio lástima. Al tipo lo ves y te das cuenta de que es un caballero, un dandy, un señor. En serio te digo: es un intelectual. Ahora, si no me equivoco, murió... Pero esa vuelta estaba ahí sentadito en una carpa, mirando a la gente, todo vestido, con un sombrero, tenías que ver. A cien metros ya te caía bien. Y va que yo paso al lado y lo miro y el tipo me mira y se saca el sombrero y me saluda.

–¿Te conocía?

–¡No, qué me va a conocer! ¡Onda! Me miró y se sacó el sombrero, te juro por Dios. A partir de ese momento lo amé. No me gusta hablar así pero es la verdad: lo amé. Y después me quedé pensando... ¿No te parece que el Estado se tendría que hacer cargo de los escritores y del futuro de sus hijos también? Digo yo: ¿qué le cuesta al Estado ponerles medio palo verde en el banco a sus artistas para que escriban tranquilos sin pensar en el futuro? ¿Qué es medio palo verde para el Estado? Nada, una moneda. Y hacé la cuenta. El Estado les da una moneda y ellos le dan una obra. ¿No te parece?

–Sí, qué sé yo. También una está acá deslomándose todo el día y...

–Pero no es lo mismo, mi amor: nosotros somos trabajadores.

–Y bueno, con más razón: ¿por qué el gobierno le va a dar la plata a los artistas para que bailen a la noche en un escenario y no nos va a dar nada a nosotros los trabajadores que bailamos de sol a sol y encima nadie nos aplaude?

–Rosa, no quiero discutir...

Silencio.

–Algún día me gustaría llevarte a Mar del Plata... –dijo María.

Otro silencio.

–¿Holá? –dijo María.

–¿Dónde estás?

–Eso ya me lo preguntaste mil veces, Rosa. Te digo que no te puedo decir. Conformate con saber que estoy acá... que te quiero igual que siempre y... vos sabés cómo son las cosas.

–No, no sé.

–Contame del grandote. ¿Quién es?

–Nadie, no importa, basta.

–¿Estás enojada?

–No.

–A mí me parece que sí.

–¿Estás preso?

–No.

–No puedo creer lo que me estás haciendo... Me estoy empezando a cansar.

–¡No digas eso, mi amor!

–¡Pero José María, qué querés que diga, si no me das ninguna explicación!

–No me digas José María: me siento como si no me conocieras. Además, vos tampoco me das ninguna explicación a mí...

–¿Sobre qué no te explico yo a vos?

–Te pregunto por el grandote y nada, no me decís nada. ¿Quién es?

–Vos vení a verme y yo te digo quién.

–Sos buena negociadora, ¿eh? Tendrías que ser abogada vos.

Silencio.

–Retirá eso de que te estás cansando de mí.

–Yo no dije que me estaba cansando de vos. Entendiste mal. Te dije que me estoy empezando a cansar de toda esta novela que me hacés.

–Yo también. ¿Querés que cortemos?

–¿Vos querés cortar?

–Te pregunto a vos...

–Si querés cortar, cortá –dijo Rosa después de una pausa.

Y después de una pausa, ofendido, María cortó.

20

Hasta fines del verano no volvió a llamarla. Durante esos meses se recluyó (lo que no es poco decir, tratándose de un hombre recluido como él) en un mundo de actividades en miniatura. La gimnasia, la lectura y más que nada las incursiones nocturnas en busca de alimentos eran todavía grandes acciones; suspendió sus paseos, dejó de interesarse por los movimientos en la casa, evitó adrede oír las conversaciones de los Blinder y puso todo su empeño en no saber nada sobre la vida de Rosa, como si quisiera olvidarla.

Estaba herido. La imagen que se había hecho de Álvaro violándola lo torturaba... El hecho de que Esteban hubiera estado a punto de salirse con la suya (quizá por segunda vez) y de que "el tipo", "el grandote", siguiera llamándola y probablemente encontrándose con ella en la calle, lo lastimaba, pero más lo lastimaba el tono con que Rosa le había hablado en su última charla, un tono seco que lo excluía a conciencia.

¿Por qué le había hablado así?

Es cierto que él no le decía dónde estaba, pero también es cierto que ella sospechaba que estaba preso y que él la llamaba y le juraba que la quería. ¿Su voz y sus promesas no le alcanzaban, no valían nada sin su presencia? ¿Por qué era capaz de amar a Cristian Castro sin haberlo visto nunca y no a él? Estaba seguro de que si Cristian Castro se le aparecía de pronto para decide "Mantente fiel a mí durante veinte años y vendré por ti al final de mi carrera", ella le hubiera sido absolutamente fiel.

No podía hacerle preguntas claras y directas, pero ella no había dado nunca ninguna muestra de su intención de confiarle los secretos de su vida privada. En cierto sentido, lo engañaba. Decía que estaba enamorada de él, pero no le había dicho una sola palabra sobre el acoso de Álvaro, sobre la seducción de Esteban y sobre las pretensiones del "grandote". Todo lo contrario: las había esquivado prolijamente. Que él estuviera preso, como ella suponía, ¿era razón suficiente para que en apenas un puñado de meses tuviera al menos tres pretendientes, incluido un violador?

Le dolía no poder decirle que estaba viviendo con ella... Una tarde, finalmente, se dio cuenta de cuál era la causa del tono de Rosa que tanto lo había ofendido: Rosa le había hablado así porque se había ido habituando a esas charlas misteriosas con él, no porque ya no lo quisiera o no le importara. Pero entonces, justo cuando se disponía a perdonarla, haciéndole un nuevo llamado, vio por la ventana del primer piso a Rosa con Israel.

Sintió tanto odio al reconocerlo que, de no ser porque Israel llevaba puesta una de sus camisetas de rugbier, María se hubiera forzado a sí mismo a creer que no era Israel sino otra persona. La camiseta, en cierto sentido, lo agarró de los pelos y lo obligó a ver la realidad: Israel, su enemigo, aquel idiota provocador al que mucho tiempo atrás había golpeado delante de Rosa, era "el tipo", "el grandote". Su actitud, la actitud de los dos, allí parados en la puerta de la entrada de servicio, no dejaba lugar a dudas: había romance. Las sonrisas, la manera pudorosa de mirarse o de bajar la vista...

María apretó los dientes y los ojos se le llenaron de lágrimas.

Israel le dio a Rosa un beso en la mejilla y se apartó diciéndole algo, seguramente "Te llamo" o "Hablamos después", de acuerdo al gesto de la mano, con los dedos meñique y pulgar extendidos sobre la cara. Rosa asintió. Después cerró la puerta con llave y caminó unos metros mirando al suelo, pensativa. María quiso creer que Rosa pensaba si lo que estaba haciendo era correcto... Rosa debió haber resuelto que sí, porque de pronto se sonrió y recorrió la distancia que la separaba de la cocina con una carrerita adolescente.

Fue horrible, la peor de las traiciones. Ahora, al mismo tiempo que lo entendía todo, no lo podía creer. Decidió desaparecer, desaparecer en el interior de su propia desaparición ante Rosa. No la odiaba. Pero la relación con Israel era algo que no podría perdonarle jamás. A partir de entonces *realmente* se encerró. No quiso saber nada más sobre ella.

Días atrás, Rosa había echado veneno para ratas en los cuartos de la mansarda. Eran unos granos facetados, como sal gruesa azul, distribuidos en montañitas por los rincones. Él los había recogido y arrojado en la rejilla del baño un par de días después, para dar la idea de que la rata se los había comido, pero durante los días que vivió con veneno en el cuarto no había sentido nunca su olor. Ahora lo sentía. No quedaba un solo grano de veneno a la vista, pero su olor lo inundaba todo.

21

Su desinformación era casi absoluta. En el living de la planta baja había un equipo de música con radio, pero obviamente no podía encenderla; el walkman, sin auriculares, no le servía, y los Blinder no recibían el diario. La única publicación que llegaba con regularidad a la casa era *Selecciones del Reader's Digest*, que alguna vez había hojeado de pie en el dormitorio de los Blinder sin que nada de lo que leyó le llamara en lo más mínimo la atención.

Sabía quién era el presidente porque lo había oído nombrar, pero hacía tanto tiempo de eso que no estaba seguro de que el hombre siguiera en su cargo. En la casa había tres televisores: uno en el living de la planta baja, otro en el dormitorio de la señora Blinder y otro en el cuarto de Rosa. El señor Blinder encendía siempre el televisor del living y lo único que miraba eran partidos de fútbol argentinos y europeos. La señora Blinder miraba películas en su dormitorio, y Rosa telenovelas y toda clase de programas de chimentos, pero él nunca se había sentido seguro escuchando televisión detrás de las puertas, porque el audio le hubiera impedido oír a Rosa si salía, o a la señora Blinder, así que las únicas noticias que había captado sobre el mundo exterior eran las que venían del televisor del living.

Allí solo excepcionalmente el señor Blinder miraba otra cosa que fútbol. En una de esas ocasiones María se enteró de que los Estados Unidos habían atacado Irak y que en un country de la Provincia de Buenos Aires una mujer de clase alta había sido asesinada, quizá por uno de sus familiares, sin que los investigadores consiguieran descubrir al asesino. La guerra y el crimen del country –con las interminables discusiones y conjeturas que despertó– eran los únicos asuntos que para el señor Blinder habían tenido en mucho tiempo más atractivo que el fútbol.

Tal vez el señor Blinder era abogado, o médico, y leía el diario en su oficina o su consultorio. Si no era así, podía decirse que el señor Blinder le había dado la espalda al mundo, reduciéndolo a una serie de estadios de fútbol televisados. ¿A qué le dio la espalda él? A la casa, a Rosa.

Pasaba la mayor parte del día (y toda la noche) encerrado en su cuarto. Con el cortaplumas que le había robado a Ricardo empezó a tallar y a construir barcos y aviones y algunos animales con fósforos y en jabón. Eran pequeñas esculturas de cinco a diez centímetros de alto en las que trabajaba durante días y que una vez terminadas ocultaba en el desván.

Se dejó crecer la barba y el pelo y la uña del dedo índice de la mano derecha, con la que se ayudaba en sus esculturas sobre jabón. De tanto en tanto salía para acercar la cara al aire y luz –una pirámide de vidrio en el centro del piso–, y allí se quedaba un rato con los ojos cerrados, como si se tratara de una pantalla solar. Susceptible, mudo, desnudo.

Después de meses de desnudez, sin la fricción permanente de las telas ásperas y de mala calidad que había usado toda su vida, tenía la piel más suave que nunca. La sensibilidad de los dedos no podía ser mayor. ¿Cuántos millones de golpes y pequeños cortes en las manos se había hecho a diario en las distintas obras en las que había trabajado? ¿Cuántos kilos de polvo de cal y tierra había aspirado? Mientras usó botas o zapatillas tenía en los talones una dureza que era como otra suela; desde que andaba descalzo, pisando siempre pisos de cerámica, maderas enceradas y alfombras, la dureza se había angostado hasta casi desaparecer.

Reprimió las conversaciones imaginarias con Rosa, pero soñaba frecuentemente con ella. Una noche soñó que iban los dos a Mar del Plata y otra noche que volvían, como si en el mundo del sueño, a pesar de la continuidad entre un sueño y otro, las vacaciones debieran esfumarse y sólo quedaran los viajes. De la misma forma, su vida sexual se había limitado al máximo. Una noche soñó que hacía el amor con Rosa, pero en los próximos sueños Rosa apareció siempre haciendo el amor con Israel. Israel llevaba un águila tatuada en tamaño real sobre la espalda, con las puntas de las alas plegadas rozándole las nalgas.

Gradualmente, la ira dio paso a la decepción, y finalmente la decepción hizo girar la perilla del deseo, apagándolo: dejó de masturbarse, tanto en el sueño como fuera de él. (Sí, una vez soñó que se masturbaba. Nunca había soñado algo así.)

Contra su voluntad, fue inevitable que le llegaran algunos datos sobre las distintas actividades en la casa. Eran muescas de datos, en realidad, y muescas menores –portazos, largas horas de silencio absoluto, algún llamado en voz alta–, con los que articuló a pesar suyo un panorama a vuelo de pájaro sobre la marcha del matrimonio Blinder (de mal en peor) y el estado de ánimo de Rosa (bueno). Esos datos lo irritaban, porque la más mínima información disparaba preguntas horribles: ¿Rosa veía *todos los días* a Israel? ¿Estaba enamorada? ¿No le importaba que Israel fuera un muchacho de clase alta, que a lo mejor no quería otra cosa que acostarse con ella, que la pareja no tenía futuro, que ella iba a sufrir? ¿No pensaba que a lo mejor Israel se reía de ella en el club, contándole a otros brutos como él los detalles del "bocadito que se comía" en el barrio?

Lo mismo con su futuro laboral. Una mañana había oído una discusión a los gritos del señor y la señora Blinder: tenían problemas económicos graves. La mansión estaba en venta desde hacía años. Pero, a menos que la comprara algún país para instalar allí su sede diplomática, era, por su altísimo valor, prácticamente invendible. ¿Sabía Rosa que su lugar de trabajo estaba en venta? Una vez, en un bar, a la salida del cine, habían hablado de la cantidad de países nuevos que surgen de golpe en el mapa. Rosa no podía entender cómo era posible armar un país nuevo de la nada, con territorio, habitantes, leyes, bandera, himno y presidente. "De la nada no –le había dicho él–: se autonomizan. El territorio y los habitantes ya están, lo único que tienen que hacer es componer un himno y elegir un presidente." ¿Rosa tenía en cuenta que en algún momento podía venir gente a comprar la mansión para la embajada de un nuevo país? ¿Qué sería de ella, entonces? ¿Y de él? Ya se había hecho esa pregunta otras veces. Siempre que empezaba pensando en ella, terminaba pensando en él. Pero Rosa tenía buenas referencias, sin duda; podía conseguir trabajo en cualquier otra mansión, o incluso aquí mismo, en la embajada del nuevo país, aunque en ese caso pasaría a ser extranjera. ¿Los extranjeros pueden trabajar en la embajada de un país extranjero? ¿Y si la empleaban los padres de Israel? Eso sería terrible. Rosa podía quedar embarazada de Israel y repetir su propia historia...

Más de cuatro décadas atrás la madre de María trabajó como empleada doméstica en la casa del intendente de Gobernador Castro. Y se decía en voz baja –aunque el susurro había llegado hasta él– que su hijo era hijo del intendente.

El hombre al que María llamó siempre "papá" era rubión, pecoso y de baja estatura, nada que ver con él. Tampoco se parecía a su madre. Cuando le llegó el rumor ya era grandecito y el intendente había muerto años atrás, así que no pudo ir a verlo y comparar. Durante años el tema lo angustió, pero no se atrevía a mencionarlo. De tanto en tanto, en el pueblo, se cruzaba con una anciana pituca que lo miraba distinto: se notaba que la anciana iba como ausente hasta que lo veía a él. Entonces parecía despabilarse. Era la viuda del intendente.

El mismo día que su madre se fue con otro, María se metió en la pieza del padre y le preguntó. No se lo preguntó directamente: primero entró y se quedó ahí parado sin decir nada.

Un momento después, el padre –que estaba tirado en la cama mirando televisión– desvió la vista y lo miró:

–¿Por qué lloras? –le dijo.

María lloraba porque su madre se había ido. Pero le contestó que lloraba porque había oído que no era su hijo.

El padre se apoyó sobre los codos.

–¿Quién dice eso? –preguntó enojado.

–Los chicos. Dicen que yo era hijo del intendente... ¿Es verdad?

–No.

–¿Y por qué entonc...?

–Decile a los chicos que se dejen de hablar pavadas –interrumpió el padre, y apoyó de nuevo la espalda sobre la cama.

No había vuelto a pensar en eso. Recordó la escena a propósito de Rosa, pero también porque cumplía años: cuarenta y uno.

No estaba seguro de la fecha exacta. Había entrado a la mansión el 26 o 27 de septiembre, así que ese día podía ser tanto el 9 de abril como el 10. Su cumpleaños era el 9 de abril...

Destapó el champagne que había robado en Navidad y que había ocultado en el desván y bebió una tercera parte de la botella dando pequeños sorbos, sin ninguna solemnidad, con la mirada perdida en la pared.

Empezaba a hacer frío. Recordó lo que le había dicho Rosa sobre la temperatura del mar... Hacía ya más de dos semanas que el frío se había instalado en la ciudad. La gente iba abrigada y caminaba más rápido. Los árboles del jardín empezaban a soltar las hojas. El pasto había dejado de crecer y, a lo largo de un sendero que desde allí arriba se veía como un hilo negro, las hormigas se apuraban con sus cargas celestes, gigantes, amarillas y rojas.

No había visto nada de todo eso, pero sabía que era exactamente así.

22

El amor tiene cara de mujer... *Ella, la gata*... *El fugitivo*... *Combate*... *Viendo a Biondi*... eran algunos de los programas por los que, en distintas épocas, peleaban sus padres. No eran meras discusiones por ver quién miraba qué, sino verdaderas peleas. Discusiones eran al principio; después, casi siempre, llegaban los gritos y muchas veces los empujones. Su padre escuchaba discos de Pérez Prado. Su madre, de Leonardo Favio. Su madre fumaba. Su padre, no. Su madre trabajaba. Su padre no. Un sí para su padre: le gustaba cocinar. Pero su madre odiaba los guisos en los que su padre ponía tanto empeño.

La televisión, la música, el trabajo, la cocina, cualquier cosa era motivo de pelea. El defecto (si podía llamarlo así) estaba en que las peleas no eran una manera particular de estar juntos, como en esas relaciones en las que el amor ha tomado la forma de una descompresión permanente. Las peleas de sus padres eran pura intolerancia, un destilado de antipatía mutua. Se odiaban y punto.

Su padre dormía mucho, de noche y de día. Su madre era insomne...

Hacía años que no veía a ninguno de los dos, pero al menos sabía dónde estaba él... si es que era realmente su padre. ¿Qué importancia tenía eso *ahora*?

Entonces, con los ojos vidriosos (de odio, no de dolor), vio a la rata.

¿Era la misma rata, su amiga, su compañera?

María estaba inmóvil junto al aire y luz, con una mejilla casi apoyada sobre una de las paredes de vidrio. Abrió los ojos porque sintió que alguien (algo) lo miraba y la vio. La rata estaba a tres o cuatro metros de él. Se mantenía a cierta distancia de la pared, y no pegada al zócalo, como si por el solo hecho de verlo a él hubiera evolucionado o saltado a un estadio intermedio entre las de su especie y el hombre. De hecho, la rata lo miraba como un perro. María creyó ver incluso que meneaba sutilmente la cola. Pero ¿era *ella*?

¿Había sobrevivido al veneno? ¿O había muerto y esta era la esposa, que venía a agradecerle su amistad? Se miraron un buen rato, los dos inmóviles. Hasta que, de pronto, la rata dio un paso hacia él. Un pequeño pasito de rata humanizada.

"Sí, soy yo", pareció decir.

María pensó que debía ser mucho más fácil para una rata reconocer a un hombre que para un hombre reconocer a una rata.

Dejó caer un brazo, apoyó suavemente una mano en el suelo, con la palma hacia arriba, invitándola a acercarse. Pero entonces la rata dio media vuelta y huyó a toda velocidad.

María volvió a cerrar los ojos.

Sí, en el fondo era una suerte que su madre no hubiera querido verlo más. Ni a su padre falso ni a él, por más suyo que fuera.

23

–¿Rosa...?
Silencio.
Cortó.

No había imaginado lo crudo que podía llegar a ser el invierno en la mansión. Rescató de su bolso la ropa de trabajo y la que llevaba puesta aquel día y se lo puso todo: dos camisas, dos pantalones, el slip, las medias, además de un pulóver del señor Blinder que robó una tarde de lo alto de un placard.

Las paredes estaban literalmente heladas. El metal de las persianas, en cambio, se había pasado al otro lado: estaba tan frío que ardía. A veces, por la mañana, pero más que nada en la noche, el viento sonaba como un ser rabioso, metiendo sus cuchillas afiladas por resquicios en los que el aire –su hermano– hubiera sido incapaz de entrar.

Las luces de la planta baja estaban siempre encendidas. Recluido en su cuarto, María hacía gimnasia: cien flexiones de brazos, cien abdominales, una tras otra, lentamente, dedicándole a cada una de ellas la misma entrega, la misma concentración que le hubiera dedicado a Rosa en un beso.

Ya no la extrañaba, pero no pasaba un minuto sin pensar en ella.

Y no quería verla. A veces, incluso, cuando Rosa subía a limpiar los cuartos, a lavar los baños, a pasar la aspiradora, a limpiar los vidrios (ocasiones en las que siempre, como cualquier otra mujer, parecía estar en otra parte), María le daba la espalda. El fantasma quería ser fantasma. En cualquier lugar donde se hubiese ocultado, cada vez que Rosa trabajaba en la mansarda, él (religiosamente) le daba la espalda, como en un *feng shui*. Su adoración por ella era tan grande que se había vuelto místico para negarla sin morir.

Aquella "recaída" (aquel llamado por teléfono en el que no pudo más que nombrarla y, después de un silencio que no quería decir otra cosa que "¿...?", cortar) ocurrió el 7 de junio. No hubo ninguna razón que lo empujara a llamarla. Fue, más bien, una distracción. Realmente estaba en otro estado. Su cuerpo lo expresaba todavía mejor que su alma o su psicología: lleno de fibras como nervaduras, sumergido en un halo de fuerza contenida, con brevísimos temblores allá y aquí, arriba y abajo, como salpicaduras nerviosas, como explosiones en miniatura. El contraste entre su aspecto y algunas de sus actividades (la lectura de *best sellers*, la talla en jabón) no podía ser más grande. Intelectualmente estaba años luz detrás de un niño promedio, pero también de la sabiduría; estaba en la inversión del guante, en los extremos de lo mismo, en la redundancia de lo que se toca y no se toca (*dos* ubicuos, pétalo y mariposa). Justo él, que un año atrás hubiera podido jactarse de tener *calle*...

Todo su arte cabía en una canoa de jabón (sin remos ni remeros). No obstante, había construido una doble invisibilidad, la propia y la de los otros, y todo a fuerza de (casi no puede escribirse) despecho. El crimen lo empujó a esconderse, pero el despecho lo hizo monje.

–Holá, ¿Rosa?

¡Cuánto hacía que no pronunciaba su nombre! Ni él mismo lo podía creer.

Rosa, del otro lado de la línea, sonó tan sorprendida como él.

–¿María?

–Sí, yo.

–Dios mío...

–¿Cómo estás?

–¿Dónde estás?

–Perdoname que no te haya llamado en todo este tiempo, pero quería proponerte algo... –dijo. Hizo una pausa y en el silencio de la casa a ambos lados de la línea oyó la respiración agitada de Rosa, como un aleteo–. ¿Te gustaría verme?

–¿Qué pasó? –preguntó Rosa.

Por un instante María no supo si la pregunta estaba referida a su invitación, como si el hecho de que él quisiera verla debía necesariamente significar que algo malo había ocurrido, o si no era más que la misma vieja pregunta ansiosa que había hecho desde el principio.

Decidió que se trataba de esto último y una delicada brizna de tristeza le azotó sanguinariamente la espalda: ¿por qué, a pesar de todo lo que había sucedido, Rosa seguía como varada en el mismo lugar? ¿Lo único que le importaba era eso?

–Mirá, Rosa, antes que nada –le dijo–: hace rato que te lo quiero decir y siempre, por una cosa o por otra, me olvido. Hay un libro que se llama *Tus zonas erróneas*. Quiero que lo leas. Buscalo en la biblioteca de la mansión, seguro que tus patrones lo tienen. *Tus zonas erróneas,* se llama. En la tapa hay un hombre medio inclinado, dibujado con palabras. Te lo quería decir. Qué suerte que me acordé. Ese libro te va a ayudar en cualquier cosa que necesites. Ahora vamos a lo nuestro...

–María, ¿estás bien? Hablás distinto...

–¿Escuchaste lo que te dije? ¿Querés que nos veamos?

–¿Me lo decís de verdad?

María asintió.

Pero Rosa no pudo verlo, así que repitió:

–¿Me lo decís de verdad?

–Sí –dijo María–. ¿Querés que nos veamos?

–¿Qué pasó?

Habían vuelto al principio. En ese punto, María aprovechó el carácter circular que venía tomando el diálogo para repasar su plan.

Y lo hizo desde el comienzo.

Su negativa a enterarse de lo que ocurría en la casa era tan grande que sabía incluso menos de lo que era imposible ignorar. Pero una tarde, cinco días atrás, oyó a la señora Blinder que decía:

–¡Rosa, Dios mío!

Esa frase desató su curiosidad.

Bajó. Hacía meses que no bajaba al primer piso durante el día.

Diez minutos después volvió a subir. Se encerró en su cuarto y se quedó largo rato acuclillado en un rincón. El corazón le latía con fuerza. Esos diez minutos le habían bastado para recoger una serie de indicios y datos (fragmentos visuales, frases sueltas) con los que ahora articulaba un panorama de los sucesos principales de los últimos tiempos, como quien mete una mano en el agua y agarra un puñado de tierra o arena para analizar después la composición del suelo.

Lo que había descubierto hizo que el muro de protección que había levantado entre él y la casa se fisurara de golpe:

a) Rosa estaba embarazada.

b) Israel no quería hacerse cargo.

El segundo punto lo llenó de odio. El primero, de dolor. Rosa embarazada...

Él mismo la había visto. La señora Blinder estaba de pie frente a Rosa. A la señora Blinder la veía entera, pero Rosa quedaba cortada verticalmente por el marco de la puerta y lo único que veía de ella era precisamente su panza; con una mano la acariciaba a una velocidad de comensal satisfecho más que de madre. Quizá le daba vergüenza, o tenía miedo de lo que fuera a decir la señora... Era una panza mínima, pero estaba allí. De eso no había ninguna duda.

La señora Blinder giró sobre los talones, le dio la espalda y volvió a girar para ir hacia ella, nerviosa. Rosa dejó escapar un sollozo. La señora Blinder la abrazó.

Probablemente era la primera vez que la abrazaba, porque Rosa dio un paso atrás, sorprendida o asustada. Las dos quedaron fuera de su campo de visión.

Bajó unos cuantos escalones más y asomó cuidadosamente la cabeza. Sí, estaban abrazadas. En realidad solo la señora Blinder la abrazaba; los brazos de Rosa colgaban a los costados.

–¿Quién es el padre?

–No le puedo decir, señora...

La señora Blinder se separó y, sin soltarla, la miró a los ojos. Estaba de pronto muy seria, como si Rosa le estuviera jugando una mala pasada.

–Rosa –le dijo–, podría haberte dicho que hicieras tu bolsito y te mandaras mudar, ¿no? Y sin embargo acá estoy. Quiero ayudarte.

–Si usted me lo pide, yo me "lo saco"...

–¡No vuelvas a decir una cosa así delante de mí! ¿Está claro? –dijo la señora Blinder persignándose.

–Sí, señora. Igual yo no hubiera...

–Muy bien, empecemos de nuevo. ¿Quién es el padre?

–Israel, señora.

–¿Quién es Israel?

–El muchacho de acá a la vuelta, señora... el del 1525, 4° A.

–¿Quién vive ahí?

–Israel, señora. Seguro que lo conoce, él me dijo que se saludan siempre que se ven y que una vez habló con usted. ¿Se acuerda de un novio que tenía yo, María?

–¿María?

–José María. Yo le decía María. Israel me dijo que una vuelta le habló a usted por aquel asunto de la policía, que vino a ver si...

–¿¡Israel Vargas!?

–Sí, señora.

–Increíble...

La señora Blinder dio media vuelta y pasó frente a la escalera en dirección a la sala caminando muy despacio, pensativa. María retrocedió y alcanzó a escapar de milagro. Un segundo después pasó Rosa. Seguramente la señora Blinder le había hecho una seña indicándole que se acercara.

–Muy bien, tenemos que hablar con él –dijo la señora Blinder–. Supongo que se hará cargo...

María no escuchó más. Retrocedió paso a paso, como una sombra sólida, y se encerró en su cuarto. El muro acababa de ser derribado.

La cabeza le daba vueltas. No lo mareaba haberse "ausentado" durante tanto tiempo: lo aturdía el regreso. Rosa embarazada... y nada menos que de Israel. Si al menos la señora Blinder la hubiera echado... Después de todo él hacía mucho tiempo que ni pensaba en ella... Hubiera preferido despertarse una mañana con la noticia de que Rosa ya no estaba allí, antes que enterarse de que estaba embarazada.

Había trabajado a conciencia para olvidarla y en el proceso se había convertido en otro. Era *mejor*. Del antiguo María conservaba la agilidad –aunque ya no era tan fuerte ni tan robusto–; lo demás había cambiado. Se había mejorado a sí mismo. Era más espiritual: podría haberlo soportado. El fin de su permanencia en la casa ya no era evitar ser encarcelado. Ni siquiera pensaba en eso. Evaporarse hubiera sido lo justo. ¡Y bastó con que pusiera un pie en esa cima de indiferencia para que viniera un embarazo a desbarrancarlo! La rabia y el dolor subieron por su cuerpo como alambres. Se sintió indignado, asqueado, y al mismo tiempo temeroso. ¿Sabía realmente *algo* sobre sí mismo y sobre la casa?

La señora Blinder, por ejemplo. ¿Qué sabía sobre ella? No sabía más que lo que imaginaba. La prueba era que la señora Blinder se había mostrado cariñosa, comprensiva y hasta justiciera con Rosa, y no fría y despiadada. Esa noche, incluso, después de contarle la novedad a su esposo (que sí era frío y despiadado), la señora Blinder defendió a Rosa con una serie de argumentos conmovedores, aunque inservibles, y una garra ante la que su esposo no tuvo más remedio que aflojar:

–Hacé lo que quieras.

Al otro día, por lo visto, la señora Blinder fue a hablar con Israel. Rosa la esperaba ansiosa. A su regreso la señora Blinder le pasó un brazo por la cintura y la llevó fuera de la vista de María diciéndole:

–Vamos a tener que hacernos cargo nosotras. Por empezar...

En ese momento María tomó la decisión. Por la noche se vistió, bajó llevando los zapatos en las manos, agarró la llave de la cocina, abrió la puerta, salió, volvió a cerrarla del lado de afuera, se puso los zapatos, atravesó el jardincito lateral hasta la puerta reja, la abrió, salió, volvió a cerrarla del lado de afuera, cruzó la calle y se perdió en la oscuridad. Estaba seguro de que nadie lo había visto.

Debían ser las tres de la mañana y hacía mucho frío. Las calles estaban desiertas. De tanto en tanto algún auto pasaba a lo lejos. María tuvo la sensación de haber estado caminando por allí mismo el día anterior... aunque a otra hora.

No tomó conciencia de que estaba afuera hasta que entró a la cerrajería. De algún modo, estar afuera no era tan importante después de todo. Lo que importaba era estar adentro. Incluso (en un barrio desconocido para él) le resultó curioso el hecho de haber ido directamente a la cerrajería más cercana, una cerrajería que estaba abierta las veinticuatro horas, como si hubiera terminado por conocer el barrio desde el interior de la mansión.

Un hombre mayor de edad con aspecto de maleante retirado lo miró de reojo permanentemente mientras le hacía una copia de la llave. María le sostuvo la mirada. (Entre ellos, las chispas de la llave.) Finalmente María volvió a la mansión. Del otro lado de la puerta reja se quitó los zapatos y repitió las mismas cuidadosas acciones que había realizado para salir, con una breve demora en la cocina para elegir su cena.

Eso fue el 12 de agosto. El resto era un plan simple. Al otro día, 13 de agosto, la llamaría por teléfono y le diría que quería verla. Sólo podía salir de la mansión durante la madrugada, así que debería hacerlo ese mismo 13 de agosto, pasar la noche en la calle hasta encontrarse con Rosa –durante la mañana o la tarde– en algún lugar a convenir, despedirse y regresar a la mansión en la madrugada del 14. Sabía muy bien lo que le iba a decir. Fin de la circularidad.

–No me des más vueltas, Rosa. ¿Querés que nos veamos, sí o no?

–Sí.

–¿Entonces?

–Entonces ¿dónde querés?...

–¿El hotelito del Bajo?

–No me parece, María. Ahora las cosas son... –se interrumpió.

–¿Distintas? –completó María, triste.

Rosa hizo una pausa y, tal como era su costumbre cada vez que le hacían una pregunta difícil, cambió de tema:

–¿Querés que nos encontremos en La Cigale?

–¿Qué pasa ahora con el hotelito, por qué no querés? ¡No te voy a morder...!

–No, ya sé que no me vas a morder –se rió Rosa (sin ganas)–. Lo que pasa es que...

–Nada. Te espero en la puerta.

–¿De La Cigale?

–Del hotelito.

–¿No querés en La Cigale?

–No. No quiero en La Cigale. No quiero que nadie nos vea. Te espero en la puerta del hotelito a las... decime vos.

—A las cinco.

—¿Tan tarde? —dijo María, pero enseguida se dio cuenta de que para él era lo mismo cualquier hora: de todas maneras iba a tener que pasar el resto del día en la calle hasta la noche—. Está bien, a las cinco en punto —agregó—. Te espero en la puerta. Hasta mañana.

—¿María?

—¿Sí?

—No, nada...

Se hizo una pausa.

—Hasta mañana —repitió María.

Rosa le preguntó:

—¿Estás bien?

—Yo sí, ¿y vos? —dijo María.

—Yo también.

—Me alegro...

Pausa.

—Bueno, hasta mañana...

—Hasta mañana, mi... —se interrumpió brevemente María.

Rosa no fue.

María la esperó veinte minutos en la puerta del hotelito, diez minutos más en la vereda de enfrente y otros veinte minutos yendo y viniendo.

Volaba de furia.

Estaba a punto de irse cuando de pronto vio a Israel.

Fue una casualidad tan grande que solo pudo compensarla y volverla real el hecho de que Rosa hubiera faltado a la cita.

Israel estaba en un puesto de diarios leyendo la tapa de una revista. Tenía una mano metida en el bolsillo del pantalón y jugueteaba con unas llaves o unas monedas mientras la otra mano trabajaba de verdad: rascaba su nuca, su nariz, le acomodaba la camiseta de rugbier, mantenía quieta la tapa de la revista cada vez que el viento... María ni lo pensó. Cruzó la calle y fue directamente hacia él.

Se paró a su lado. En ese momento Israel terminó de leer y se enderezó para irse, pero la tapa de otra revista, colgada por debajo de la primera, lo detuvo. La anterior era una revista de armas, la segunda una de caza. María sintió su perfume –una fuerte combinación de pino y axila– y miró las rayas del pelo recién cortado en la nuca y sobre las orejas. El cuello era más ancho que la cabeza y las orejas más pequeñas que los ojos. El quiosquero reapareció contando unos billetes. Entonces Israel se incorporó y se alejó caminando despacio.

María lo siguió. Era viernes y el Bajo estaba repleto de autos que abandonaban la ciudad. La gente iba y venía allá y aquí, unos a paso demasiado rápido y otros sin ningún apuro, como si estuvieran todos perdidos. Israel avanzaba en línea recta. Llevaba los codos abiertos y obligaba a los que venían de frente a desviarse, pero era evidente que no iba a ningún sitio en particular. Paseaba, quizá estaba haciendo tiempo en espera de la hora de la cena. Ya había anochecido, pero afortunadamente Israel seguía alejándose de la manzana de su casa, donde María no hubiera podido seguirlo sin arriesgarse a ser visto por alguno de los albañiles de la obra, por el portero, incluso por Rosa... Olvidaba que hubiera sido muy difícil que alguien lo reconociera: estaba flaco, pálido, con el pelo largo hasta los hombros y una barba de meses. Entonces Israel, atraído por la mirada de María, fija en su nuca, se dio vuelta y lo miró.

Se había detenido en una esquina. María, que lo venía siguiendo a una distancia de seis o siete metros, le sostuvo la mirada mientras iba a su encuentro, sin variar en lo más mínimo el paso. No tenía nada en mente, pero avanzó hacia él como si supiera lo que iba a hacer. Israel, por su parte, no lo reconoció, pero se dio cuenta de que algo andaba mal.

–Israel.

–¿Te conozco?

Eso fue todo lo que hablaron. Sorpresivamente, María lo agarró del cuello, lo arrastró hasta un edificio y le golpeó con todas sus fuerzas la cabeza contra la pared. Israel quedó atontado. María le apretó el cuello con las dos manos, mirándolo a los ojos. Tenía el cuerpo echado hacia adelante y se empujaba con un pie bien afirmado en el suelo para aumentar la presión de las manos. Estaba tan furioso que empezó a salirle sangre de la nariz. La sangre le mojaba los labios. Sopló y la cara de Israel se llenó de pequeñas chorreaduras rojas, algunas con forma de lágrima.

María miró a un lado y a otro y sintió la extrañeza de matar a alguien en plena calle sin que nadie lo advirtiera. Israel no ofrecía ninguna resistencia, más allá de la resistencia natural de un cuello tan ancho y duro como el suyo; luchaba apenas por mantener los ojos abiertos: sus pupilas se bamboleaban, flotaban en sus órbitas sin fijarse a nada...

María lo atrajo un poco y volvió a descargar su cabeza contra la pared. Esta vez fue un golpe mucho más violento que el anterior. Israel cerró los ojos. El peso de su cuerpo se duplicó. Recién entonces María aflojó la presión de las manos.

Después corrió. Se detuvo cuando sintió que le faltaba el aire. Tuvo la impresión de que había sido todo muy rápido y que había huido del lugar del crimen a tal velocidad que recién ahora Israel, a dos o tres kilómetros de allí, terminaba de desplomarse.

Se sentó en el umbral de una puerta, a mitad de cuadra en una calle oscura. Un hombre pasó a su lado llevando una pizza en su caja de cartón sobre la palma de una mano.

–¿Tiene hora? –le preguntó María.

–No.

El hombre se alejó.

María se puso de pie, metió una mano en el bolsillo y palpó la llave de la mansión. Después volvió a sentarse.

Un cartonero se le acercó empujando un changuito de supermercado y, sin detenerse, le preguntó:

–¿Tiene hora?

–No –dijo María, y se quedó pensando para qué querría saber la hora un cartonero. Probablemente el hombre de la pizza había pensado lo mismo de él. Debían de ser las ocho, quizá las nueve de la noche.

La puerta ante la que estaba sentado se abrió de golpe y una chica estuvo a punto de caerle encima. La chica retrocedió asustada y se escudó detrás de un chico enjuto y pálido vestido de negro, con un gorrito de lana que decía Porn en rojo calzado hasta las cejas.

–Permiso –le dijo el chico.

María se levantó para darles paso.

Los chicos salieron uno detrás del otro y se alejaron rápido, tomados del brazo, cuchicheando. María registró la mirada de la chica: le había mirado la nariz. Se tocó con un dedo. Por encima del labio superior tenía una cáscara, un bigote hitleriano de sangre seca. Trató de limpiarse con saliva, pero terminó haciéndolo con agua del cordón de la vereda. Se pasó el puño de la camisa por la boca, secándose, y caminó hasta la esquina.

La próxima vez que preguntó la hora, ya en los alrededores de la mansión, le dijeron que eran las tres. Hasta ese momento caminó sin rumbo, aunque siguiendo adrede las calles más transitadas, en las que sentía que pasaba más inadvertido que en las calles desiertas, iluminadas o no. Adelante o atrás, y en las calles laterales, había grandes focos de luz en los que la gente se apiñaba como insectos: un cine, un shopping, una discoteca, zonas a veces muy amplias y a veces reducidas, rodeadas de penumbra o de oscuridad.

Alguna vez, si no recordaba mal, había paseado por allí del brazo con Rosa, mirando vidrieras y comentándolo todo. Rosa solía comparar el precio de la ropa con el costo de algunos servicios públicos o de alimentos; se indignaba al hacer la lista de las cosas que podía comprar en un supermercado con lo que costaba un jean, o al sacar la cuenta de que el valor de un par de medias equivalía a diez o doce o quince viajes en colectivo (según el precio de las medias) o a un mes de gas (cuando encontraba medias baratas, le parecía caro el gas).

Hacía rato que venía acariciando distraídamente un papel en el bolsillo. Lo sacó. Era un billete de diez pesos. El billete estaba allí desde el comienzo de todo...

Lo primero que pensó fue en llamar a Rosa. Necesitaba monedas. Unos metros más adelante había un McDonald's. Entró, fue hasta una de las cajas y se puso en la cola. Cuando llegó su turno pidió uno de los combos y el vuelto en monedas. Después se sentó a la única mesa libre y devoró la hamburguesa y las papas fritas sin levantar la vista, aturdido por el bullicio, incómodo con la luz, paranoico por su contraste con las decenas de chicos que iban o venían del cine, y presionado por una familia completa que se paseaba cargada de bandejas en busca de un lugar donde sentarse.

Salió. En la puerta había un teléfono público. Discó el número de la mansión y apenas tres llamados después oyó la voz de Rosa:

–¿Holá?

–Rosa, soy yo. ¿Qué pasó que no fuiste?

–María, perdoname. No pude. Quería, iba a ir, pero la señora me había sacado un turno con un doctor y no le pude decir que no.

–¿Para qué te llevó al doctor?

–No, nada... para una revisación...

–¿Te sentís mal?

–No, no, tuve un mareo y... qué sé yo, la señora últimamente me cuida como si fuera de oro. ¿Así que fuiste?

–¿Y cómo no voy a ir? Quería hablar con vos. Te estuve esperando.

–¿Y mañana?

–Mañana no sé si voy a poder... Era hoy.

–¿Dónde estás? Escucho un lío bárbaro...

–En la calle.

–Ahora me doy cuenta, mirá vos: es la primera vez que hay ruido atrás tuyo cuando me hablás. ¿Antes de dónde hablabas, de una casa?

–Sí...

–Te juro que había llegado a pensar que... –dijo Rosa y se interrumpió.

–¿Qué habías llegado a pensar?

–Nada, nada, no me hagas caso... –dijo Rosa. Sonaba desilusionada, como si el amor de María por ella fuera más grande en la cárcel que en la calle.

–Escuchá, Rosa, estoy en un teléfono público y se me va a cortar en cualquier momento. Esperá que pongo otra ficha... ¿Pero qué hice con las monedas? ¿Holá?

–Sí.

–Esperá un segundo que no sé qué hice con las monedas... Ahí está... ¿Qué decías?

–Vos me ibas a decir algo...

–Ah, sí. Yo... –hizo una pausa y después dijo–: ¿Me estás tratando con distancia o me parece a mí? ¿Qué pasa, ya no me querés?

–¿Por qué me preguntás eso?

–Porque lo siento.

–No... bueno, María... pasó tanta agua por abajo del puente que...

–¿No te había hecho ilusión verme hoy, como habíamos quedado?

–¡Seguro! Miraba la hora a cada rato, pero...

–¿Ahora qué hora es?

–Ahora no puedo.

–Ya sé, pero igual, ¿qué hora es?

–Once y diez.

–¿Cómo te encontró el doctor?

–Bien, todo bien. ¡Ay, María –exclamó de pronto Rosa–, si por lo menos me dijeras algo, por qué desapareciste, por qué hoy podías encontrarte conmigo y mañana no... y por qué no pudiste nunca! ¡En el fondo es todo culpa tuya!

–¿Qué es culpa mía?

–¡Me dejaste así... no volviste más... pagando quedé y con el corazón...! ¡A veces te juro que te odio! ¡Sí, te odio, te juro! Y hoy que por fin te iba a ver te odié más que nunca, María. ¿Me vas a perdonar alguna vez?

–¿Si yo te voy a perdonar a vos?

–Sí...

–¡Yo no tengo nada que perdonarte, Rosa! Hoy te quería ver para decirte justamente que lo único que quiero es estar cerca tuyo y cuidarte, y...

Se hizo una pausa.

Un pájaro pasó volando. María no pudo evitar seguirlo con la vista. Rarísimo: un pájaro blanco, a menos de cinco metros de altura sobre la avenida Santa Fe, a las once de la noche, volando en el sentido del tránsito...

–¿No vas a volver nunca, no? –preguntó Rosa.

–Algún día...

–Sabía que ibas a decir eso...

–Entendeme...

–Sabía...

–¿Qué es lo que tendría que perdonarte yo, Rosa?

En ese momento la comunicación se cortó.

En la cocina de la mansión, con el teléfono todavía en la mano, Rosa dijo:

–Estoy embarazada... –sabiendo que María no podía escucharla.

–Te perdono –dijo él con los ojos llenos de lágrimas, y colgó.

28

Finalmente ahí estaba otra vez, parado frente a la mansión. Unas cuadras atrás había preguntado la hora: las tres de la mañana. La mansión estaba a oscuras. No había nadie en la calle. Muy de tanto en tanto pasaba un auto. Entonces vio que un policía avanzaba hacia él. Sintió un escalofrío. Se metió las manos en los bolsillos, se alejó y dio una rápida vuelta a la manzana. Entrar era mucho más difícil que salir. ¿Cómo no lo había pensado? Al pasar frente al edificio de Israel, de regreso a la mansión, vio encendidas las luces del cuarto piso... El policía ya no estaba en la esquina: caminaba calle arriba para matar el tiempo y el frío.

Sintió el impulso de correr hacia la esquina y aprovechar la ausencia del policía para llegar a la puerta y entrar sin ser visto; se contuvo. Ya tenía la llave en la mano. Desde la esquina hasta la puerta reja de la entrada de servicio había unos diez metros; los recorrió mirando hacia atrás, hacia la calle por la que el policía se alejaba con las manos enlazadas en la espalda.

Estaba a punto de meter la llave en la cerradura cuando de repente un hombre y una mujer salieron de las sombras, abrazados. Venían hablando y mirando al suelo y no parecieron inquietarse cuando se toparon con él. María retornó rápidamente la actitud (la estela) de caminante previa a su brevísima detención junto a la puerta y avanzó en dirección opuesta a la de ellos.

Se detuvo quince metros más allá. Transpiraba. El hombre y la mujer cruzaron la calle... El policía estaba a punto de llegar a la esquina; de un momento a otro daría la vuelta y empezaría a bajar otra vez hacia él. Ésta era su oportunidad. Alcanzó la puerta en un abrir y cerrar de ojos, metió la llave en la cerradura y la hizo girar. Empujó la puerta, entró, volvió a cerrarla. Lo hizo muy despacio, captando sus chirridos desde el comienzo y anulándolos sobre la marcha. Después se escondió detrás del muro. Agachado, esperó hasta que el policía llegó a la esquina y comenzó a caminar calle arriba otra vez, para cruzar el jardincito lateral y entrar por fin a la cocina. Era la parte más riesgosa. Las luces estaban apagadas, pero no podía asegurar que el señor o la señora Blinder, o Rosa, no estuvieran del otro lado de la puerta, cada cual por su propia razón (aunque todos a oscuras); debía evitar el más mínimo ruido, porque la casa triplicaba los sonidos y alguien podía oírlo; al mismo tiempo tenía que hacerlo rápido: alguien podía pasar en ese momento por la calle y verlo a través de la puerta reja. Se le ocurrieron decenas de motivos inquietantes, pero logró sortearlos uno tras otro, y entró a la cocina sano y salvo. Apoyó la espalda contra la pared y se quedó un momento allí quieto, esperando a que su corazón normalizara los latidos y sus ojos se habituaran a la oscuridad. Después abrió la heladera, bebió un largo trago de vino blanco, se quitó los zapatos y se dirigió hacia su cuarto. Había tenido éxito. Excepto por un pequeño detalle.

Esa tarde el jardinero había podado y regado las plantas del jardín. Y María se había embarrado un zapato al agacharse junto al muro para evitar ser visto por el policía.

Lo notó recién a la mañana siguiente. Alarmado, bajó corriendo y se acercó todo lo que pudo a la cocina.

Rosa estaba sentada en una silla, pensativa. Sostenía en una mano el secador de piso y miraba las huellas de barro junto a la puerta. En un primer momento, al ver las huellas, había agarrado automáticamente el secador y un trapo y había estado a punto de limpiar el barro cuando algo le llamó la atención. En eso pensaba ahora.

No entendía de quién podían ser las pisadas y mucho menos por qué iban desde la puerta hasta la heladera y allí, de pronto, desaparecían.

29

Apenas unas horas atrás Rosa bajaba del lavadero de la mansarda con un montón de ropa sobre un brazo. Su panza, que había crecido mucho en los últimos dos meses, más la ropa que llevaba en un brazo, le impedían ver los escalones, así que bajaba despacio, con cuidado. Súbitamente, la mano con la que iba sujetándose de la baranda se humedeció, emitió un chirrido y se detuvo. La ropa cayó al suelo. Rosa se agarró la panza y gritó llamando a la señora Blinder.

Por un instante María estuvo a punto de ir él mismo a socorrerla. Se contuvo a duras penas. Quince o veinte minutos después, Rosa y la señora Blinder salían volando de la casa.

Ahora María se paseaba nervioso, y no "a un lado y a otro", sino "arriba y abajo"... En los últimos meses se había mantenido más cerca que nunca de Rosa, prácticamente no le había perdido pisada. La llamó por teléfono todas las semanas. En la biblioteca había encontrado un libro titulado *Mi primer hijo*, lo había leído de principio a fin y solía aconsejarla sobre los ejercicios que era conveniente hacer y sobre la dieta que debía llevar. Pero no le había resultado nada fácil conseguir que Rosa le confesara que estaba embarazada.

Durante varios llamados, desde aquel día en que él la había invitado a que se encontraran en el hotelito del Bajo, Rosa insistió en verlo, pero finalmente pareció olvidarse por completo del asunto. A María no se le escapó que Rosa había querido verlo mientras su panza era todavía plana y que había dejado de insistir –percibió en ella, incluso, cierto temor porque fuera él quien le propusiera un nuevo encuentro, al que no sabría cómo negarse– cuando la panza se volvió evidente, lo que sucedió casi de un mes a otro. Hasta que una tarde a María se le ocurrió una artimaña de lo más obvia y efectiva: le dijo que la había visto en la calle de casualidad.

–¿¡Cuándo!?

–Anteayer.

–¿El martes? ¡Pero si el martes estuve todo el día acá!

–Lunes, entonces. Salías de... –María hizo una pausa adrede, esperando que Rosa completara la frase. Pero dónde la había visto él era algo que a ella no le importaba por el momento.

–¿Y no me llamaste?

–Pensé, pero no. Ibas con la señora.

María sabía que Rosa había salido con la señora Blinder.

–Entonces... –dijo Rosa bajando la voz.

–Sí, ya sé.

Se hizo un silencio.

María tuvo la impresión de que Rosa había dejado de respirar.

Le preguntó:

–¿Por qué no me dijiste?

–Porque... María, yo... –dijo Rosa y se puso a llorar.

–No importa, está todo bien –la tranquilizó María–. ¿De cuánto estás?

–De cinco...

–¿Y el padre?

–Ay, Dios... –dijo Rosa.

–¿Quién es? –insistió María.

Hacía tanto tiempo que María lo sabía todo que sonó sereno, incluso aliviado.

–El hijo de los señores... –dijo Rosa–. Me violó... una vez...

Para María fue toda una sorpresa. No se le había ocurrido que el hijo podía ser de Álvaro... Después, mientras Rosa le contaba la historia (el acoso, la violación), procesó un millón de datos, al cabo de lo cual se dijo que Rosa no tenía remedio: no podía parar de mentirle.

Se dio cuenta de que para ella era más fácil decir (decirle a él) que el embarazo era resultado de una violación que de su relación con

Israel. Pero ese era ahora un tema que a él no le importaba. Contradecirla, por otra parte, hubiera significado descubrirse. De cualquier manera, hizo todo lo posible por sonar indignado:

–¡Hijo de puta! ¡Lo voy a matar!

–Murió –dijo Rosa.

–Ya sé, sí, me dijiste... ¡Qué hijo de puta!

–No vale la pena enojarse ahora... ¿Estás enojado?

–Te juro que lo mataría.

–Digo si estás enojado conmigo...

–Qué sé yo, son tantas cosas juntas de golpe que... –dijo. Y se notó que no estaba enojado, sino ansioso por animarla.

María percibió en Rosa una pizca de agradecimiento. Tuvo casi la certeza de que Rosa estaba reprochándose por dentro haberle ocultado su embarazo durante todo ese tiempo. Hubiera podido confiar en él (en su voz). El misterio de su desaparición se completaba de pronto con el descubrimiento de un hombre nuevo, ausente pero generoso, un hombre sin cuerpo cuya voz la abrazaba más allá de todo.

A partir de entonces María la acompañó a todas partes. No continuamente: en general. Cocinando, lavando o planchando, mirando televisión, cualquier cosa que estuviera haciendo Rosa, él andaba cerca. Cada noche, al ir a buscar comida o de regreso, se daba una vuelta por su cuarto y la observaba largo rato por el ojo de la cerradura, atento a sus gestos, al ritmo de su respiración.

Adquirió el hábito de mirar las fechas de vencimiento de los productos envasados por temor a que Rosa comiera algo en mal estado y se llevaba las frutas o verduras menos frescas para dejarle a ella las mejores. Cada vez que llegaba un nuevo ejemplar de *Selecciones*, se las ingeniaba para llevárselo al cuarto. Dejaba a la vista libros que pudieran servirle, como *Mi primer hijo*, y cada vez que pudo añadió a la lista de compras que hacía la señora Blinder chocolates y yogurt, copiando meticulosamente su letra, para satisfacer los posibles antojos de Rosa. Por supuesto, Rosa atribuyó cada una de estas enormes delicadezas a la señora Blinder. María se dio cuenta de eso porque la relación entre ellas se tornó de amigas, de familiares directos. En su calidad de espía invisible, nunca supo cuál era la causa de la actitud de la señora Blinder para con Rosa, pero el efecto era impensado y, por momentos, conmovedor. Y en buena medida gracias a él.

Atrás habían quedado las charlas en las que nada importaba tanto para Rosa como saber por qué él había desaparecido así, o dónde estaba y cuándo iba a regresar. Era una suerte (para él, que ya odiaba evitarlas). No obstante, las repasaba mentalmente. Y cada vez que lo hacía se topaba con fragmentos (momentos) de un amor que paladeaba en su triple condición de esposo, padre y fantasma. De hecho, si había llevado su relación con Rosa hasta el punto en que su presencia física había dejado de ser lo que verdaderamente importa, ¿qué le impedía ser de ahora en más su esposo? Y si era su esposo y la amaba y Rosa lo amaba a él y esperaba un hijo, ¿por qué negarse a ser el padre?

Ejemplos:

–Leí el libro que me dijiste, *Tus zonas erróneas*.

–¿Te gustó?

–Lo dejé.

–¿Por?

–Me aburrió. Leí la primera parte. No sé, no me vi reflejada... Lo primero que dice sí... Esperame un cachito que lo voy a buscar, lo tenía por acá... Esperame, ¿eh?

Volvió unos segundos después.

–Dice –dijo, y leyó–: "Mira por encima de tu hombro. Te darás cuenta de que tienes a un compañero que te acompaña constantemente". Eso me gustó. Me acuerdo que lo leí y te juro que pensé en vos. ¿Sabés lo que se me cruzó por la cabeza el otro día? Mirá lo que se me cruzó: que vos estabas acá adentro. Creéme. La otra vez encontré en la cocina unas pisadas y te juro por mi madre que recorrí toda la casa de punta en punta, y al final me agarró un vacío...

Era verdad. María la había visto revisar los ambientes de la casa entera, entrando y saliendo y yendo de un lugar a otro, como si de pronto hubiera enloquecido.

–Después dice: "A falta de un nombre mejor, llámalo Tu-Propia-Muerte. Puedes tener miedo a este visitante o usarlo en tu propio beneficio. De ti depende la elección". Ahí ya me empecé a desentender...

Se hablaban como un matrimonio consolidado, como el matrimonio de un albañil y una mucama del futuro llevados a trabajar a distintos planetas –sin resentimiento, sin cuestionárselo siquiera– en una época en que las relaciones de la clase baja simplemente "se dan así".

Nunca hablaron de Israel. María estaba seguro de que la señora Blinder debía estar al tanto de que Israel había sido asesinado y que, por supuesto, se lo había contado a Rosa (retorciéndose las manos mientras Rosa superaba el impacto de la noticia con una sonrisa enorme apenas perceptible), de la misma manera en que podía jurar que Rosa *sabía* (de una manera demasiado sutil para atraparla) que lo había matado él.

Habían alcanzado la cima del sobreentendido. En ese punto estaban cuando la mano de Rosa chirrió y se detuvo en la baranda.

Desde ese momento, hasta el momento en que María conoció a su hijo, pasaron nada más y nada menos que tres años: esa fue la duración que tuvieron los tres días siguientes para él. En efecto, Rosa se internó un martes y no volvió hasta el viernes, ya de noche. Y lo primero que hicieron (el señor Blinder hablaba por teléfono mirando televisión) fue acostar al bebé en la cama de la señora Blinder.

–¿En serio? –le preguntó María por teléfono–. A mí me parece que eso lo tenés que cambiar ya mismo. El nene no puede dormir en la cama de la señora, el nene tiene que dormir con vos, que sos la madre. Acostalo en tu cama, que sienta tu olor, que *lo mire*, no sé si entendés lo que te digo...

Lo segundo fue buscarle un nombre. Salieron del dormitorio, se sentaron una al lado de la otra en el sofá y (mientras el señor Blinder, que acababa de cortar la comunicación, iba hacia el dormitorio a echarle un vistazo de compromiso a la criatura) barajaron los primeros nombres.

Se veía que Rosa estaba cansada y que lo único que quería era dormir

–en la medida de lo posible al lado de su hijo–, pero también era evidente que hacía un esfuerzo descomunal para satisfacer la ansiedad de la señora, al mismo tiempo que trataba de resolver el enigma de la cama: ¿se acostaría en la cama de la señora Blinder junto a su hijo, o la señora esperaba que ella le dijera que necesitaba descansar y estar un poco a solas con el chico para que ambas se pusieran inmediatamente de pie, lo fueran a buscar y lo llevaran a su cuarto?

Mientras Rosa pensaba en eso, María se enteró del sexo del bebé.

–¿Qué te parece Gonzalo? –preguntó la señora Blinder.

(¡Varón!)

–Ay, no, señora, disculpe que le diga, pero –mintió Rosa– yo tengo un primo Gonzalo que es una cosa que mejor ni le cuento...

–¿Y Federico? Federico estaría muy bien...

–¿Sabe cuál me gusta a mí? –dijo Rosa.

María paró la oreja.

En ese momento el señor Blinder salió del dormitorio con un aire tan indiferente por el hijo de Rosa que resultó ensordecedor. Pero María ni lo escuchó. Toda su atención estaba puesta en lo que iba a decir Rosa.

Y Rosa dijo:

–José María. Ese nombre pensaba yo...

La señora Blinder enderezó la espalda, arqueó las cejas y dejó que la mano que hasta ese momento mantenía alzada frente a la cara de Rosa –como si estuviera siempre a punto de interrumpirla– se posara de nuevo en su rodilla. Después, por fin, se congeló. Fue un instante, pero a María le bastó para ahogarse de emoción.

–¿José María? ¿Te parece? –exclamó la señora Blinder–. ¿No te suena como... perdoname que te lo diga así, pero... choto?

–No, señora...

–Hay tantos nombres más lindos que ese...

–A mí me gusta...

–José María...

–Pensaba, sí...

—Qué sé yo...

—¿No le gusta a usted?

—¿La verdad? No.

—¡Es lindo!

—Mirá, Rosa, vos sos la madre, si le querés poner así ponele, pero no me pidas que te mienta. A mí me parece que hay un millón y medio de nombres más lindos que ése. No sé. Pensalo.

¡Un varón! ¡Un varón!

¡Y Rosa quería que se llamara como él! ¡Dios, qué alegría, por más que dijera la señora Blinder que...! ¡Rosa pensaba llamarlo José María! ¡Lo había dicho, él la había oído decir "A mí me gusta José María"! Eso era lo único que importaba, el deseo, la intención. El resto de la lista, el millón y medio de nombres que restaba considerar... cualquiera de esos nombres podía imponerse ahora, ¿qué más daba?

"José María, Rosa, sí, José María, se tiene que llamar José María, no dejes que te cambien el gusto", se dijo un minuto después, ya pasada la euforia inicial.

Lo vio recién al otro día, en la acción más osada desde que él mismo había nacido. Se metió en el cuarto de Rosa.

Eran las seis de la mañana. Esa medianoche, después de amamantarlo ante la atenta mirada de la señora Blinder (con un fondo musical de tribuna de fútbol), Rosa había conseguido llevarse al bebé. Quizá le había dado de comer una vez más. Ahora dormían juntos en la misma cama. La cuna (que la señora Blinder había rescatado de algún hueco de la casa días atrás y en la que probablemente había vomitado Álvaro durante los primeros meses de vida) estaba prolijamente tendida. Rosa ni lo había apoyado allí. Lo había acostado directamente con ella.

Era un encanto, en todo sentido: tenía una cara, tenía dedos y respiraba. Hasta ese momento no había visto más que el envoltorio, una pelota de frazaditas celestes. Ahora, a medida que avanzaba hacia él y se habituaba a la oscuridad del cuarto, aparecía el contorno de su cabeza, la flor cerrada hecha de mejillas, nariz, mentón y boca, todo en un punto, en el centro de su cara, como si los rasgos fueran succionados todavía por la nada de la que venía.

Se acercó un poco más.

Rosa estaba de costado, con la espalda pegada a la pared, ofreciéndole prácticamente toda la cama al bebé. Le cubría los pies con una mano... María se inclinó muy lentamente hasta que sus labios rozaron por fin la frente de su hijo.

Varios días después seguiría paladeando los detalles de ese acontecimiento (su emoción, el silencio alrededor, la suavidad) con el acompañamiento visual del pie de Neil Armstrong posándose en las cenizas de la Luna. Se incorporó, dio media vuelta y salió tan rápido que dejó a su sombra atrás.

Rosa abrió los ojos, de pronto inquieta. Paseó la vista por el cuarto como si hubiera sentido que había alguien más allí adentro, y al final de un recorrido de medio segundo de duración reparó en su bebé, que también había abierto los ojos.

Se tranquilizó.

El bebé no sabía sonreír, pero sonreía y le decía "Soy yo" con la mirada.

30

–¿Rosa?

–María, qué suerte que llamás...

–¿Qué pasa?

–¡Tuve un sueño espantoso! Me levanté pensando "Ojalá me llame, así se lo cuento", y acá estás. Soñé que lo había llevado a José María a pasear por esa plaza donde está el lago de Palermo y...

–¿En serio le pusiste José María por mí?

–¿Y vos me decís a mí que no te pregunte más dónde estás? ¡Cada vez que hablamos me decís lo mismo! Claro que se lo puse por vos. ¿Por qué no me creés?

–¡No, sí que te creo! No caigo, que es distinto...

–Hablando de caer... ¿Viste donde está el Planetario?

–Sí.

–Soñé que lo había llevado ahí a que tomara un poco de sol y de golpe te veo a vos que salís del Planetario. Me quedé helada, hacía años que no te veía... Yo te vi en sueños muchas veces, ya te dije, pero en este sueño hacía mucho que no te veía y me quedé helada. Venías de ver una función sobre la Luna... ¡Tenías barba!

–¿En serio?

–Te juro. Y el pelo largo también.

–...

–Bueno, y lo agarraste a José María y lo tiraste para arriba y lo atajaste y... hasta ahí todo bien... Pero después empezaste a tirarlo cada vez más alto, y más alto, y yo me desesperaba, ¡y al final lo tiraste tan alto que el bebé tardó como media hora en bajar! Mirábamos para arriba y no se veía por ninguna parte...

–Una pesadilla...

–Horrible.

–¿Bajó?

–Sí, bajó y lo agarraste vos. Pero desde que subió hasta que bajó yo casi me muero... ¡Qué angustia, no sabés! Estaba toda transpirada...

–Yo jamás le haría una cosa así.

–Ya sé...

–¿Come bien?

–¡No para!

–¿Y vos? ¿Te cuidás, te alimentás...?

–Sí, normal. ¿Vos soñás?

–¿Cómo?

–Si soñás. Me di cuenta que nunca me contás nada, ni lo que hacés ni lo que soñás ni...

–No sueño nunca yo.

–¿Nunca?

–Tengo un sueño muy liviano. A lo mejor es por eso.

–Dicen que es bueno soñar...

–El sueño ese del Planetario lo tendría que haber tenido yo, que no caigo con lo del nombre.

–...

–...

–Qué angustia que me dio...

–¿Estaba asustado él cuando bajó?

–¡Nada! ¡Se mataba de la risa!

–¿Viste?

–...

–...

–Ay, María...

–Sí, ya sé...

–¿Podrán ser de otra manera las cosas... algún día?

–Vos cuidá al bebé. Ocupate de eso. Es la mejor manera de que las cosas sean de otra forma algún día...

−...

−En serio te digo.

−La señora le compra todos los productos que salen para bebés...

−¿De comer?

−Sí.

−Que no largue el pecho, Rosa. La leche de la madre es fundamental para la salud. ¿Qué productos le compra?

−Unos purecitos que vienen en frasco. El pediatra me dijo que ya puede empezar a comer un poco de sólido y la señora...

−Ojo con el pecho, igual. Que no largue el pecho...

−Sí.

−Hablale mientras toma, poné la radio...

−¡No sabés qué lindo carácter que tiene...! Se ríe de todo y me hace reír a mí... Cualquier cosa le da risa. Le hacés una morisqueta y se ríe, la señora le da un beso en la nariz y se ríe...

−Me hacés acordar de una cosa que dice en *Tus zonas erróneas*: "Son gente divertida que vale la pena tener cerca"...

−Ahora duerme, divino...

−¿Lo tenés a la vista, no?

−Lo tengo acá al lado... Shh, esperá un segundo...

−...

−Sí, ahí llega la señora... tenemos que cortar...

−Hablale de mí al nene, Rosa. Hablale de mí.

−Sí, sí, le digo, le hablo... Llamame después. Un beso.

−Un beso.

31

Cuando José María cumplió un año, María hizo el primer llamado al exterior. Quería regalarle algo a su hijo.

Llamó a la casa de su tío en Capilla del Señor. Era un domingo soleado y el señor y la señora Blinder habían salido. No tenía la menor idea de adónde podían haber ido juntos el señor y la señora Blinder, que últimamente apenas se dirigían la palabra. Rosa se había ido con José María a primera hora de la mañana a comer una tirita de asado al aire libre en compañía de su amiga Claudia. El amante de Claudia era mozo en una parrilla frente al río, en Vicente López. Buen paseo para el bebé. Así que María aprovechó que estaba solo para levantar la voz cuando hizo falta.

–¿Quién? –preguntó el tío.

–Yo, José María. Escuchame que no tengo mucho tiempo... ¿Todo bien?

–...

–¿Viste la mesita de luz en la pieza mía? Haceme un favor: dala vuelta y fijate que abajo hay un...

–Esperá un segundo –dijo el tío–. ¿De qué José María me hablás?

–¡Yo, *yo* soy José María! ¡María! ¿De qué José María te voy a hablar?

–¿Dónde te metiste?

–Es largo...

–¡Decime algo! ¿Estás en el país?

–No.

–Me parecía. ¿Qué pasó? Acá vino la cana tres o cuatro veces a ver si te encontraban. ¿Y cómo se te da por llamar ahora?

–¿Estás intervenido?

–¿En qué sentido?

–El teléfono ¿lo tenés intervenido?

–¡Y qué sé yo! ¿Por qué voy a tener el teléfono intervenido, por vos? ¡No, de esto que te digo hace años, que sé yo... dos, tres años! Después no vinieron más, vos viste cómo es este país.

–Escuchame...

–¿Estás bien?

–Sí. Escuchame, tío. ¿Viste la mesita de luz de mi pieza, la mesita de la derecha? Si te parás de frente a la cama, la de la derecha, ¿me seguís?

–¿Qué buscaban, drogas? No me dijeron ni mu. ¿Vos andabas en el tema de la droga?

–No, tío, nada que ver.

–¡Mirá que para mí la droga no es un crimen!, ¿eh? Conmigo podés hablar. Y más ahora que pasó tanto de eso. –Bajó la voz, aflautándola sin querer–: ¿Lo que me vas a decir de la mesa de luz tiene que ver con la falopa?

–Escuchame, idiota –dijo de pronto José María. Lo dijo en un tono monocorde, en un tono que era puro impulso de la voz. Su tío se calló en el acto–. Debajo de la mesita de luz de la derecha vas a ver clavada una madera. Es como una pestaña. Correla. Te vas a encontrar con 250 dólares. En el cajón de la otra mesita hay una estrella y está toda mordida. Es un sonajero. Quiero que agarres los dólares y el sonajero y vayas a una dirección que te voy a dar ahora. Se lo vas a dar todo a una chica que trabaja ahí. Se llama Rosa. La ves, le das las cosas de mi parte y le decís que se las mando yo. ¿Está claro?

–¿Por qué me hablás así? –preguntó el tío después de una pausa.

–Porque te conozco –le dijo María–. Y quiero que sepas una cosa: te estoy vigilando, a vos y a la chica. La policía me busca porque maté a un tipo, y creeme que al tipo lo quería más que a vos. Si no le entregás mañana mismo el sonajero y los dólares a la chica, te voy a buscar y te juro que vas a quedar viendo todo negro para siempre.

Después le dio la dirección.

Al otro día el tío de María tocó el timbre en la mansión. Se había puesto sus mejores ropas (una camisa leñadora, una campera pasada de moda, opaca, sin marca y se diría que hasta sin tela –un amasijo de hilos sintéticos de todas las especies, eso es lo que era– y un pantalón Oxford crema que lo delataba como gay). María lo vio por una de las ventanas del frente: el descarado tocó el timbre en la entrada principal.

La señora Blinder fue a atender. Su primera reacción al verlo fue de sorpresa; con un tipo así, en otras circunstancias, no hubiera cruzado un monosílabo, pero en esta ocasión se quedó hablando un rato.

Después volvió a entrar. Rosa, sentada en el sofá del living, terminaba de amamantar a José María.

La señora Blinder se detuvo junto a ella, la miró desde arriba y le dijo seria:

–Qué curioso. Es la primera vez en mi vida que abro la puerta cuando alguien llama, y me entero de lo último que hubiera querido saber.

Y extendió hacia Rosa un sobre de papel madera. En el sobre alguien había escrito con fibra lila (y caligrafía negra) su nombre y su dirección.

Rosa lo abrió. Sacó los dólares y el sonajero y se quedó mirándolos boquiabierta. La señora Blinder le dijo que lo había traído una persona de parte de José María.

La lentitud con que Rosa levantó la vista hacia la señora Blinder dejaba al descubierto su engaño y su culpabilidad. Pero la señora Blinder estaba demasiado ocupada con su propia sorpresa para advertir la sorpresa de Rosa.

–Me quedé charlando un momento con ese... "señor". Y me dijo que su sobrino es José María, aquel albañil del que se dijo que mató a una persona... Lo recordarás mejor que yo, por lo visto. Me dijo que te mandaba esto...

–Me acuerdo de él, sí –dijo Rosa.

José María cumplía un año ese día, pero todavía tomaba la teta y no había aprendido a caminar. Mientras su madre y la señora Blinder hablaban, José María dio una vuelta al sofá y cruzó gateando el living a toda velocidad.

–¿No era que se lo había tragado la tierra? –preguntó la señora Blinder.

–Eso tengo entendido... –dijo Rosa.

–¿Y cómo, entonces, este aparato que vino recién me da estas cosas para vos de parte de *él*?

–No sé, señora...

Estaban tan enfrascadas en sus propias dudas y tensiones que no se dieron cuenta de que José María había empezado a subir la escalera.

–¿Me estás ocultando algo, Rosa?

–¡No!

–¿Estás en contacto con ese hombre?

–No, señora. Le juro que no sé qué es esto... A mí me cayó de golpe también... ¡Hace años que no lo veo a ese muchacho!

La señora Blinder la miró un momento en silencio.

–¿Y entonces por qué le pusiste de nombre José María al chico?

–Gusto, casualidad. Mi papá también se llama José María. José María Verga. No me haga decir, ya sabe que no me gusta el apellido... –agregó Rosa fingiéndose avergonzada.

–¿Y cuál era el apellido de ese albañil?

–Negro.

–¿Negro?

–Sí...

–¿Te das cuenta –dijo la señora Blinder después de pensarlo un rato– que si hubieras seguido adelante con él podrías haber llegado a llamarte Rosa Verga de Negro?

Se hizo una pausa. Por un momento Rosa y la señora Blinder se miraron a los ojos seriamente y luego estallaron al mismo tiempo en sonoras carcajadas. De la risa les saltaban lágrimas de los ojos. Las dos sabían que no era para tanto, pero de alguna manera aceptaron descomprimirse exagerando. Inmediatamente se sintieron mucho mejor.

La señora Blinder volvió a sentarse junto a Rosa.

–¿Por qué creés que ese albañil te mandó estas cosas después de tanto tiempo?

–No sé, señora... ¿Quién las trajo?

–Un tío.

–¿El tío no dijo por qué?

–No sabía. O no me lo quiso decir. Dice que él no sabe nada del sobrino desde hace años...

–¡Entonces es verdad! –exclamó Rosa.

–¿Qué es verdad? –la señora Blinder la miró inquisitivamente.

–Que se lo tragó la tierra –dijo Rosa–. Nadie sabe nada... Yo no sé...

La señora Blinder le creyó. No había ninguna razón para que no lo hiciera.

–Me preocupa que te haya mandado esto...

–A lo mejor está pensando irse del país...

–Voy a tener que darle aviso a la policía...

–Ni se deben acordar.

–Ese hombre puede ser peligroso...

–No se crea, señora, era un pan de Dios.

La señora Blinder la miró en silencio. Rosa le pareció repentinamente triste o agotada, quizá las dos cosas a la vez. Le pasó un brazo por los hombros y le dijo:

–Tenés que prometerme algo... A la menor pista que tengas sobre el paradero de ese hombre me lo decís.

Rosa asintió y, sosteniendo en una mano los dólares y en la otra el sonajero, se besó los dedos en cruz.

32

Esa tarde el pequeño José María trepó doce escalones. María, en lo alto de la escalera, los contó uno por uno con una mezcla de pánico y orgullo (orgullo por la proeza, pánico porque cayera). Le hizo señas, tratando de espantarlo, pero el niño se sintió más estimulado todavía. Hasta que Rosa por fin notó su ausencia. Se levantó del sofá como un resorte, lo vio, dio una carrerita y lo arrancó de la escalera retándolo.

En general Rosa no era descuidada. Aunque la señora Blinder (misteriosamente para María) la ayudaba con la crianza, Rosa seguía siendo la mucama: tenía que hacer las tareas de la casa con el hijo a cuestas, y a veces se le escapaba o ella se distraía. Joselito –como empezó a llamarlo– era bastante inquieto y al mismo tiempo muy haragán. No se largó a caminar hasta después de los catorce meses de edad.

Tenía la misma cara de Rosa...

María la llamó casi a diario durante todo el año. Hablaban de Joselito. Rosa le contaba de sus gracias y María le aconsejaba que tuviera cuidado con las puntas de las mesas, con los enchufes y más que nada con las escaleras, a las que Joselito parecía adicto. Muy de tanto en tanto (solo muy de tanto en tanto), Rosa volvía a preguntarle dónde estaba y cuándo regresaría.

Joselito no decía nada (no hablaba), pero era evidente que estaba encantado con María. Y María con él. Cada minuto de distracción de Rosa (cada vez que Joselito quedaba solo en el living, o en su cuarto, o en la cocina, y más que nada cuando Rosa lo dejaba en la sala de juegos del segundo piso y se alejaba por los pasillos con la aspiradora),

María se le acercaba, lo alzaba en sus brazos y le hacía monerías, o le daba un juguete de fósforo especialmente hecho para él y que Joselito rompía casi en el acto con una sonrisa de oreja a oreja.

Le gustaba su olor, que lo cubría como una llama sin figura ni forma, el sonido de sus gorgeos, la suavidad de polen de su piel... Pero nada le gustaba tanto como las risas aspiradas con las que Joselito festejaba sus brevísimas apariciones.

Le enseñó a decir "Joselito" ("Lita", decía), "auto" en lugar de "tutú" y, como no podía hacerse llamar de ninguna forma por temor a que Joselito lo repitiera después, se hizo llamar también "mamá".

–Ma... má... –le dijo la primera vez, acuclillado frente a él.

–Am... –dijo Joselito.

–Ma... má...

–Am... am...

–¡Muy bien! Vamos otra vez... Mamá...

–A... má...

–¡Eso! Dios mío, qué inteligente que es este chico... –Lo felicitó acariciándole la cabeza y arremetió de nuevo–: Ma... má...

–Amá...

Rosa pensaba que Joselito tenía una gran imaginación, porque andaba siempre buscando algo detrás de las puertas o al pie de la escalera.

–Yo no sé qué tiene –le dijo una vez a María–, yo estoy al lado de él y él anda por otro lado llamándome. Eso me tiene preocupada...

–¿Preocupada por qué? ¡Juega!

–No, no juega. Yo estoy al lado y me busca por allá... Los chicos de esa edad no hacen esos chistes. Tengo miedo de que tenga un problema mental...

–No, Rosa, qué problema mental va a tener... Los chicos son así...

–¡Me gustaría tanto que lo conocieras... te llevarías tan bien con él...!

A María se le rompió el corazón: había llegado la hora (la edad) de no dejarse ver ya tampoco por su hijo.

33

Una tarde Rosa estaba pasando un trapo de piso en uno de los cuartos de la mansarda cuando de pronto la oyó insultar. Fue casi un grito, un grito seguido de un golpeteo de pies en el suelo. No había dudas: acababa de ver a la rata.

Rosa salió del cuarto caminando marcha atrás, alzó enérgicamente el secador de piso y volvió a entrar. María oyó los golpes del palo contra el suelo, descargados allá y aquí, con una violencia desmesurada, con repugnancia. Un momento después los golpes cesaron; Rosa salió y corrió escaleras abajo. ¿La había matado?

Probablemente no, porque enseguida regresó con el paquete de veneno. Entró al cuarto y un minuto después volvió a salir. Miraba con aprehensión el palo del secador de piso: la había golpeado.

–Bicho asqueroso... –dijo, y se fue maldiciendo entre dientes.

María aguardó hasta estar seguro de que Rosa no volvería y entró al cuarto. El veneno estaba distribuido en montañitas apresuradas por los rincones. Lo recogió, lo dejó sobre la mesa de luz, se puso en cuatro patas y miró debajo de la cama y del placard. La rata estaba debajo del placard, como siempre. Era un bulto oscuro, inmóvil aunque tembloroso. Debía de estar aterrada, quizá malherida.

Dio un golpecito en el suelo con la palma de la mano, pero la rata no se movió.

–Vení... –susurró–, dejame verte...

Estiró un brazo con la intención de agarrarla, haciendo incluso un movimiento de araña con los dedos en dirección a ella... hasta que la tocó. Y entonces sintió un ardor helado en la mano. La rata lo había mordido.

—¿¡A mí!? –le dijo–, ¿¡me mordés a mí!?

Entre los dedos índice y pulgar colgaba un pedazo de piel y carne. La herida, que ya empezaba a sangrar, tenía forma de sonrisa. Agarró el veneno, fue al baño, lo tiró en el inodoro y se lavó la herida con alcohol. Al salir del baño vio que la rata se deslizaba por el pasillo en una dirección y en otra, aturdida. No sabía para dónde ir. María se detuvo y esperó a que la rata se decidiera. Sólo cuando por fin lo hizo, él volvió a ponerse en movimiento.

34

–¡Qué suerte que llamás, qué justo! ¡Nos vamos a Mar del Plata!

María estaba al tanto de que los Blinder planeaban salir de la ciudad (cerraban las ventanas, aseguraban las puertas), pero no sabía adónde iban. María no tuvo oportunidad de llamarla hasta un momento antes de que salieran y en realidad no fue una oportunidad sino una osadía: los Blinder andaban cerca.

–¿Vos vas? –le preguntó en voz baja.

–¡Sí! Al principio pensé que me quedaba, pero...

–Vas a conocer el mar...

–Sí.

–¿Y Joselito?

–Viene conmigo, lógico.

–Comprale un balde... enseñale a hacer castillos...

–Sí.

–Qué lindo...

–Ni el señor ni la señora tienen muchas ganas de ir, parece que Mar del Plata no les gusta, pero los invitó un matrimonio amigo de ellos y no se pudieron negar.

–¿Cuánto tiempo van?

–Una semana, me parece...

–¿Y van a dejar la casa sola?

–Queda un sereno, un policía. Escuché que estaban contratando a alguien...

–¿¡Queda adentro!?

–¿Quién?

—El sereno...

—¿Sos loco? ¡Afuera! Tomaron a alguien para que esté día y noche de acá para allá por la vereda. ¿Te dije que por lo que sé acá la cosa económica no anda muy bien que digamos, no?

—Sí.

—Bueno. Parece que está cada vez peor, así que...

—¿Joselito anda bien?

—Divino.

—¿Te sigue haciendo esas cosas raras que me decías que te hacía, de tenerte al lado y buscarte en otro...?

—Ahora casi nunca.

Puñalada.

¿Qué otra cosa podía esperar? Los chicos se olvidan tan rápido de todo... Una semana para un chico de la edad de Joselito debía ser como una década para un hombre como él...

—Decile a la señora que le compre un balde...

—¡Se lo compro yo!

—Bueno, mejor. Y comprale una pala también. ¿Sabés qué está bueno? Hacele un castillo al lado del agua, con una canaleta, y vas a ver cuando viene la ola, que se mete en la canaleta, y si le hiciste una puerta al castillo la ola se mete hasta adentro y lo va derrumbando. Le podés poner unos palos en el techo también... Ojo con perderlo, Rosa. No le quites la vista de encima, mirá que allá la playa es un hormiguero y te descuidás y no lo viste más, ¿eh?

—No me metas miedo...

—No, sí, sí, te quiero meter miedo. Ahí la prudencia nunca alcanza. Lo mismo con el agua: la ola es bonita pero abajo hay corriente.

—No sabés cómo me gustaría ir con vos...

—Algún día vamos a ir los tres.

Entonces, de pronto, María oyó del otro lado de la línea, por detrás de Rosa, la voz de la señora Blinder:

—Vamos, Rosa, por favor, cargá los bolsos. ¿Con quién hablás?

—Con la Claudia, señora —le dijo Rosa—, me estaba despidiendo.

Volvió a hablarle a él para decirle: –Bueno, Claudia, llamame cuando vuelva... –Era un lapsus; lo corrigió enseguida–: Te llamo yo, quiero decir. Bueno, un beso.

Cortó.

Salieron media hora después.

Y se tomaron diez días en regresar, no una semana.

María se encontró por primera vez totalmente solo en la mansión. Fue desesperante, porque extrañaba a Joselito y a Rosa (¡incluso al señor y la señora Blinder!), pero también porque las provisiones que habían quedado eran mínimas. No había un solo alimento perecedero, desde ya. En la alacena había latas de sardinas y atún y algunos frascos de morrones y mermeladas, dos cajas de arroz, tres paquetes de fideos, un paquete de galletitas, té, yerba, café, no mucho más que eso. En una bolsa colgada de la pared encontró un poco de pan. Debajo de la mesada había una caja con seis botellas de vino. La heladera estaba desenchufada, vacía (excepto por media docena de huevos y un par de caldos) y con la puerta abierta. Lo que consumiera a lo largo de esa semana se notaría forzosamente al final.

Pero esa no era su única preocupación. Desde una de las ventanas del primer piso vio al policía parado en la esquina, de espaldas a la mansión. Estaba de uniforme y no tenía bigote. María no pensaba salir, pero tampoco hubiera podido hacerlo... El policía cumplía un horario: desde las ocho de la tarde hasta las seis de la mañana. Le dejaba la salida libre solo durante el día. Imposible.

Los faroles exteriores de la casa permanecían encendidos las veinticuatro horas del día, lo mismo que la luz de la cocina; aparte de eso, el resto de la mansión estaba a oscuras. María no podría asegurar que no lo verían desde afuera si encendía la luz del living o de alguno de los cuartos, así que nunca lo hizo. Pero solía acomodarse en alguno de los sillones de la biblioteca o en cualquiera de los otros ambientes internos con una lámpara encendida y leer o revisar cajones y papeles, y hasta mirar televisión.

La primera vez que miró televisión sintió una cierta extrañeza, porque las cosas de las que se hablaba eran exactamente las mismas de años atrás pero no conocía a casi nadie de los que aparecían en pantalla. Y los que seguían allí desde hacía años, y por lo visto seguirían durante muchos años más, estaban extraordinariamente viejos, como si hubiera pasado muchísimo tiempo desde la última vez que los vio.

Durmió tres o cuatro noches en el cuarto de Rosa. Dejó de hacerlo cuando sintió en la almohada su propio olor. La primera de esas noches tuvo fiebre y sintió un hormigueo en el cuerpo y una cierta insensibilidad en la mano que le había mordido la rata. Notó que algunos músculos se contraían dolorosamente; eran contracciones involuntarias de una sola fibra por vez, de un solo filamento, a veces en un bíceps, a veces en un muslo... En la mañana había revisado el cuarto. Rosa no guardaba allí ningún secreto (ninguna carta dirigida a ella o escrita por ella). En el cajón de la mesa de luz encontró el sonajero con forma de estrella que él le había hecho llegar como regalo de cumpleaños a Joselito. A un costado, en la pared, sobre el zócalo, había un garabato de tinta azul borroneado, quizá por la mano de Rosa.

Abrió su placard. ¡Qué poca ropa tenía! Joselito recién había nacido y ya tenía más ropa que ella. El cuerpo de los niños crece muy rápidamente; sin embargo, los niños suelen tener más ropa de la que pueden usar. Pero en la edad adulta, cuando el cuerpo ya ha alcanzado su techo, por decirlo de alguna manera, uno debe andar casi siempre con el mismo vestido.

No era el caso del señor y la señora Blinder. Sus placards estaban llenos. Sin embargo, le llamó la atención el hecho de que, al igual que Rosa, ellos tampoco guardaran secretos, al menos sobre papel. Nada de lo que encontró en la casa a lo largo de los tres o cuatro primeros días le llamó la atención. O lo ocultaban muy bien o María ya sabía sobre los Blinder todo lo que podía saberse sobre ellos. Era descorazonador: una vida, dos largas vidas hasta el momento, que no habían producido más de lo que en apenas un puñado de años era capaz de conocer un fantasma (y valiéndose solo del oído).

No obstante, corroboró o completó algunos datos sobre ellos: el señor Blinder era abogado, hipertenso, obsesivo e infeliz; la señora Blinder había montado en algún momento de su vida una galería de arte, era una alcohólica "social" (no había una sola foto en la que no apareciera con alguien al lado y una copa en la mano, en tanto que en la mansión solo bebía por las noches y en la cama); usaba muchas cremas, adoraba los colores pastel y, probablemente, mantenía una relación amorosa secreta, a juzgar por alguna que otra prenda de diseño demasiado chillón relegada en el fondo del placard. Lo más interesante que encontró en el cuarto de los Blinder fue a la vez inquietante y perturbador: uno de sus avioncitos de fósforo.

El avioncito estaba en el primer cajón de un mueble frente a la cama. Sin duda Joselito se lo había quedado en un descuido suyo y la señora Blinder lo había encontrado y guardado allí. O tal vez lo había encontrado Rosa, en el suelo, y había pensado que era algo que había traído la señora o el señor... Nadie dijo nunca nada sobre el avioncito: él se hubiera enterado. Las cosas que *nadie* ha llevado a un determinado lugar y sin embargo *están* allí son por lo menos motivo de conversación, tienen en sí mismas un gran potencial en ese sentido, aunque generalmente se arrojan a la basura sin que nadie les haya prestado siquiera un minuto de atención. El mundo, el planeta entero está repleto de cosas que *nadie ha puesto allí*. Dejó el avioncito en su lugar y cerró el cajón.

Una noche (dormía en la cama de los Blinder) lo despertó un ruido extraño. Salió rápido a ver qué era. Se le cruzó por la cabeza que un ladrón intentaba entrar a la casa. Fue hasta una ventana y la entreabrió: el policía estaba allí, siempre de espaldas a la mansión. Después fue a la cocina. Encontró una botella de vino vacía caída junto a la tapa del tacho de basura, que también había caído, volteándola. Esa había sido la causa del ruido. Rosa había olvidado sacar la basura... Observó la bolsa: estaba anudada, pero tenía unas rasgaduras, como si alguien la hubiera arañado o mordido. ¿Alguien?

La rata.

Se pasó una mano por el pelo y por la cara, aliviado, y volvió a dormir.

Pasó hambre. La bolsa de basura olvidada le sirvió en adelante para desprenderse de los restos de las pocas cosas que no tuvo otra opción que consumir: una lata de atún, una lata de sardinas, las cáscaras de tres huevos, un paquete de arroz, el envoltorio de un par de caldos... Abría la bolsa de basura, tiraba los restos y la cerraba de nuevo. A veces, cuando sentía mucha hambre, engañaba al estómago con un trago de coñac. O se preparaba té, o café. Lo que más le gustaba era el mate, pero no podía consumir entero el único paquete de yerba si Rosa no tomaba mate a la par de él. Así que, después de servirse una cantidad razonable del paquete, empezó a secar la yerba usada en los vidrios del aire y luz.

Había empezado a tener dificultad para tragar. Pensó que eran anginas, o gripe, pero la garganta no le dolía en absoluto; eran más bien espasmos de los músculos de todo el cuello, incluidos los músculos de la garganta, como si una mano lo sujetara con fuerza y le impidiera tragar normalmente y a veces incluso hasta respirar. La fiebre aparecía y desaparecía, subía y bajaba como una marea y cada vez, al retirarse, le dejaba algo nuevo: inquietud, ansiedad, más hormigueo...

Estaba irritable. Una tarde rompió de un puñetazo el portarretratos con la foto de Álvaro. Lo apoyó en el suelo, se arrodilló y descargó su puño contra el vidrio. Otro día se echó a correr por las escaleras arriba y abajo hasta quedar extenuado. Había apretado tanto las mandíbulas que le dolía la cara.

Por momentos tuvo miedo. Nunca en la vida había estado tan solo. La descripción del doctor Dyer sobre el hombre libre de zonas erróneas, en la que se veía retratado (un nivel de energía especialmente alto, un empleo de la mente en divagaciones creativas capaces de evitar la parálisis de la falta de interés), se derrumbó sin ruido. El silencio de sus pies descalzos vagando sin rumbo por la casa era lo único que oía.

Cuando se cumplieron los siete días de la partida de Rosa y Joselito y los Blinder, se instaló cerca del garaje, ansioso por escuchar el sonido del motor del auto que llegaba, trayendo a su familia de regreso. Estaba débil, había adelgazado y le ardía el pecho. Se durmió en el suelo, sobre una alfombra. Tenía la garganta cerrada. Apenas si podía tragar. Sus músculos parpadeaban allá y aquí a lo largo y a lo ancho del cuerpo, como señales nerviosas de luz en la serena oscuridad de la casa.

Por la mañana lo despertó el aleteo de unos pájaros en la ventana: peleaban. Enseguida notó que el ruido del tránsito era mucho más alto que el chillido de los pájaros y le llamó la atención que los hubiera oído primero a ellos. ¿Hubiera oído a los Blinder? La decepción porque no habían llegado aumentó el ardor de su pecho, la cerrazón de la garganta. Había pasado una semana en la planta baja; tuvo necesidad de subir.

Al cabo de unas horas en la mansarda se sintió mejor, como si el tiempo que había pasado a nivel del suelo lo hubiera dañado. Por la noche bajó a hacerse una sopa. Después volvió a subir, pero solo hasta el tercer piso. Se acomodó en un sillón y se puso a tomar la sopa. Tenía la mente en blanco y la mirada perdida. Entonces sonó el teléfono. El plato se le cayó de las manos y se hizo añicos contra el suelo.

Era la primera vez en ocho días que alguien llamaba por teléfono; lo más probable era que los pocos amigos del señor y la señora Blinder supieran que ellos no habían estado en casa y que regresaban ese día. A partir de entonces el teléfono sonó varias veces; siempre era el teléfono del tercer piso, nunca el de la cocina. Desde que estaba en la casa no recordaba que ese teléfono hubiera sonado alguna vez... Cuando se activaba el contestador automático, del otro lado cortaban. ¿Era Rosa? ¿Tenía alguna lógica pensar que Rosa fantaseaba con la idea de que él estaba allí y lo llamaba de tanto en tanto, sin ninguna esperanza de que él atendiera, como una forma de saludarlo?

Juntó los pedazos de plato, metió una mano en la basura, haciendo un hueco, y los dejó en el fondo de la bolsa... por las dudas. El olor que salió de la bolsa era nauseabundo. Al anudarla de nuevo, notó que las rasgaduras eran ahora mucho mayores: la bolsa tenía a un costado un agujero del tamaño de un puño. La mano y el antebrazo que había metido en la basura olía como algo muerto y milagrosamente unido aún a su cuerpo.

Se dio un baño, un baño de inmersión. En determinado momento hundió la cara en el agua y oyó un goteo... *plic... plic... plic... plic...* Se mantuvo sumergido hasta que necesitó respirar. Entonces vio en el techo una pequeña grieta de la que caían a un ritmo creciente gruesas gotas de un líquido oscuro y pesado que estallaba al entrar en contacto con el agua, ramificándose y tiñéndola de rojo. Sangre. ¿Alucinaba? Apretó los ojos y al abrirlos de nuevo la grieta seguía allí. Pero ahora se había agrandado, la sangre caía desde varios puntos a la vez... La miró fijo hasta que la grieta desapareció y el agua estuvo otra vez limpia. Cuando quiso salir de la bañadera notó que había perdido toda su agilidad; tuvo la sensación de haber envejecido cincuenta años en cincuenta minutos. Ponerse de pie, secarse, vestirse, eran actividades en las que debió invertir una fuerza ciclópea.

Entonces, de pronto, por fin, media hora después, no sucedió nada. Estaba agotado y tenía fiebre. Fue hasta el aire y luz y se sentó en el suelo, con un brazo estirado sobre el vidrio. Cerró los ojos. Se durmió. El teléfono volvió a llamar... Cuando cesó, tuvo la impresión de que acababa de escapársele una idea, un recuerdo, un pensamiento, no lo supo con certeza. Pero cayó en la cuenta de que eso era algo que le sucedía con mucha frecuencia: pequeños vuelcos o inclinaciones de la mente sucediéndose unos a otros sin fin. Pasó un largo rato prestando atención a la forma en que esos pensamientos emergían y descendían, aislados, inconexos. El primer pensamiento era siempre incapaz de alcanzar al otro o de enlazarse a él: *burbujas.*

Algo hizo que abriera los ojos. Ya era de noche, pero no fue la noche. Había siete, ocho, quizá diez ratas a metros de la escalera, algunas pegadas a la pared, otras aventurándose un poco más allá... Quiso levantarse y no pudo: el cuerpo le pesaba como si aún durmiera. Resbaló. Las ratas apenas si se movieron. Sólo cuando golpeó el vidrio con la palma de una mano desaparecieron como por arte de magia. Finalmente consiguió ponerse de pie. Fue hasta su cuarto, entró, cerró la puerta, se tiró en la cama y, a pesar de que tenía la garganta cerrada y el cuerpo lleno de calambres, se volvió a dormir.

35

–Rosa...

–¡María, mi amor!

–Qué lindo que...

–¡Te extrañé!

–...me digas mi... –dijo María débilmente.

–¡No sabés lo bien que la pasamos... es lo más lindo que hay...!

–¿Joselito....?

–¡Enloquecido! ¡Iba de acá para allá como un chiche a pila, no había modo de pararlo! Igual, mucho mucho a la playa no fuimos. Debo haber ido cuatro o cinco veces, un día sí y un día no, porque me quedaba en la casa de esta gente a ayudarla a Estela, una chica bárbara que está empleada allá. Me hice muy amiga, ya te voy a contar... Pero Joselito sí, Joselito iba todo el día. Cuando no iba conmigo iba con la señora. ¡No sabés lo quemado que está...!

–¿Le hiciste el castillo...?

–¡Mil le hice!

–¿Y la... tragó saliva– canaleta...?

–También, sí. Pero él se la pasaba jugando a la pelota. ¡Qué manera de disfrutar! Te juro que de solo verlo a él... Tenías razón, me iba a gustar.

–¿Viste...?

–¿Por qué hablás así?

–Así ¿cómo?..

–Así. ¿Te pasa algo?

–No... me duele un poco la garganta...

–¿Te hiciste ver?

–No, no es nada, ya se me va a pasar... Contame...

–Pensé todos los días en vos. Pensaba en lo lindo que hubiera sido saber el teléfono de allá para que pudieras llamarme... o si yo hubiera sabido el tuyo... Hablé mucho con esta chica Estela... Todo el tiempo quería hablarle de vos y... No sabés lo feo que es no poder decirle nada a nadie, porque encima... bueno, como te dije recién, te extrañé, no sé... a lo mejor porque hablamos tanto de ir juntos a Mar del Plata los dos que...

–Ya vamos a...

–Tenían una casa espectacular allá, en un bosque, no sabés lo que es. ¡Y el centro, mi Dios! Nunca vi un centro así. Es como me decías vos: un hormiguero. En la playa, en el centro, ahí donde pusieras un pie había un millón de pies al lado del tuyo. ¿María?

–Sí...

–Te traje algo.

–¿Qué....?

–Un regalo, te traje un regalo.

–Gracias, Rosa...

–Dos regalos.

–No hacía falta...

–Te traje una caja de alfajores Havanna y un collar precioso, todo con piedritas de colores. Ya sé que no sé si te lo voy a poder dar, pero igual pensé en vos y... Bueno –se rió–, los alfajores me los voy a terminar comiendo con Joselito, pero el collar te lo guardo para cuando sea. Te va a gustar, vas a ver...

–Gracias...

–Me acordé de un día que me dijiste que te gustaba cómo le quedaban los collares a los hombres, una vez que vimos unos chicos que... ¡Qué tos, María! ¿Estás fumando mucho?

–No fumo...

–¿Dejaste?

–Hace rato... Contame de Joselito... ¿Dormía con vos?

–Siempre. Lo que no quiere es hablar. ¡Es un vago! Usa una palabra sola, "mamá". Me lo dice a mí y a los hombres, a las otras mujeres nada. ¿Y vos? Contame algo vos ahora...

–Nada...

–¿No tenés nada para contarme?

–Te quiero, Rosa...

–¿Me extrañaste?

–Te extrañé y te quiero... las dos cosas... –dijo. Entonces vio que el señor Blinder subía la escalera.

Fue un segundo: al mismo tiempo que lo vio, el señor Blinder gritó hacia abajo, sin dejar de subir (y sin darle tiempo a nada):

–¡Rita, vamos, apurate, por favor!

María cortó inmediatamente.

Dejó el teléfono y, con los últimos restos de energía, corrió hacia la mansarda. Las piernas apenas le respondían... Subir un escalón era como trepar una montaña... Entró a su cuarto, cerró la puerta y se sentó en el suelo, con la espalda apoyada en la pared. Transpiraba y le temblaban las manos. Estaba seguro de que Rosa había oído al señor Blinder con toda claridad.

Y se acostó en la cama a esperar...

Se sentía débil y mareado. Hacía mucho calor, lo sabía, pero aunque se había puesto el pantalón y las dos camisas, tiritaba de frío. Apenas si podía respirar... No daba más... Giró lentamente la cabeza y miró hacia la ventana... Miró la luz... oyó los sonidos de la calle... Calculó que eran las seis o las siete de la tarde. De un momento a otro empezaría a oscurecer.

36

Rosa estaba muy bronceada. Se había cortado el pelo a la altura de los hombros y llevaba puestos unos aros de piedra de un azul muy claro que la hacían más joven y feliz, aunque en ese momento estaba atónita. Sus ojos eran más negros y brillantes y se había pelado un poco la nariz. Las pestañas parecían húmedas, como si conservaran algo de la última zambullida en el mar.

Aunque hacía ya más de un día que estaba de regreso, no se había puesto el uniforme; llevaba un vestido de una sola pieza en el mismo azul de los aros y estaba descalza, como él.

Eran las nueve de la mañana. Rosa estaba inmóvil junto a la puerta; se había congelado en un gesto de asombro, con las manos sobre la boca. A María le bastó verla para saber que Rosa había estado mirándolo desde un buen rato antes de que él abriera los ojos. Y todavía no lo podía creer.

María despegó los labios para decir algo, pero no tuvo fuerza: volvió a unirlos y le sonrió.

–Dios mío... –murmuró Rosa, todavía con las manos sobre la boca.

Sus manos estaban muy bronceadas también, con las uñas prolijamente cortadas y esmaltadas, brillando como nácar. Llevaba al cuello un collar de pequeñas piedras de colores. María supo que era el collar del que ella le había hablado el día anterior, su regalo. Mirarse uno al otro había sido el primer contacto más allá de la voz después de años; el reconocimiento del collar era el segundo, y quizá más importante que el anterior, porque establecía una relación entre ambos más allá de la mirada.

Rosa dio un paso adelante. Se detuvo.

—María... —dijo.

Después dio cinco pasos más, uno tras otro, como si los contara, hasta que llegó a su lado. Extendió una mano, pero antes de tocarlo retrocedió de pronto y volvió a pararse junto a la puerta. Lloraba sin ruido. Joselito entró corriendo torpemente y se agarró del vestido de su madre, como si acabara de aterrizar a salvo después de saltar un precipicio.

Vio a María y no pareció sorprendido sino contento.

—¡Mamá! —le dijo.

—Hola... —murmuró María. Joselito no se había olvidado de él.

Entonces, súbitamente, Rosa corrió hasta la cama y lo abrazó.

—¡Sabía... sabía...! —dijo—. ¡Yo sabía...! Dios mío, ¿cuánto hace que estás acá?

—Siempre...

—¿Y cómo no me dijiste una cosa así?

María le sonrió.

Rosa le tocó la frente:

—¡Estás volando!

Miró hacia atrás, hacia Joselito, que se había puesto a deshojar un *best seller*, como si Joselito pudiera hacer algo para ayudarla.

—En la pieza de enfrente... —dijo María señalando hacia el desván—, en mi bolso... buscalo, hice un montón de cosas para él... Algunas me salieron bien...

Entonces Rosa reaccionó. Se levantó. Pasó del estupor al nerviosismo y empezó a pasearse a un lado y a otro por el cuarto pensando qué hacer.

—Anoche me di cuenta de todo, cuando estaba hablando con vos y lo escuché al señor que llamaba a la señora... pero no me animé a venir... —sacudió la cabeza—. De noche es más fácil salir de acá... Te voy a traer algo para comer y un poco de agua y te voy a cerrar la puerta y a la noche vemos cómo hacemos para salir...

Su ingenuidad era conmovedora. María acababa de decirle que

había estado siempre allí y ella le pedía que resistiera una noche más. Y en el fondo era absolutamente razonable: ahora que lo había descubierto, ahora que ya no era un fantasma, una sospecha, una posibilidad o una sombra, cualquiera podía descubrirlo también.

Rosa salió del cuarto, cerró la puerta dejando a Joselito del lado de adentro y bajó la escalera a toda velocidad.

Joselito estaba sentado en el suelo, rodeado de hojas arrancadas y abolladas.

–Joselito... –llamó María en un hilo de voz.

Joselito levantó la vista y le sonrió.

–No rompas más el libro... –le dijo María–. Vení... vení conmigo, Joselito... vení un minuto con papá...

Joselito se levantó. Le dio trabajo, pero se levantó. Sin embargo no se movió de allí hasta que María le dijo que le iba a contar un secreto.

Entonces fue a su encuentro.

–Subí acá, Joselito... –le dijo María dándose unas palmadas en el pecho–. Dame un abrazo...

Joselito se agarró de la camisa de María. María lo ayudó a subir poniéndole una mano en la cola y empujando hacia arriba hasta que Joselito cayó de panza sobre su pecho.

Lo abrazó.

Fue un abrazo increíblemente suave aunque empleó todas sus fuerzas. Después, mientras inventaba un secreto para no decepcionarlo, cerró los ojos y pensó en Rosa.

Se dio cuenta de que no sabía casi nada sobre ella. ¿Tenía hermanos? ¿Cómo se llamaba su primer novio? ¿Vivían sus padres? No sabía si tenía un segundo nombre... Ignoraba la fecha de su cumpleaños... No tenía la menor idea de cuáles eran sus miedos, ni qué esperaba de la vida... o de él. Nunca le había preguntado por sus planes... Ni siquiera estaba seguro de que tuviera planes...

¿Se había enamorado de Rosa aquel día en el Disco? ¿O eso había ocurrido después, con su entrada a la mansión... desde el secreto, en la imposibilidad de estar con ella?

¿Le había ofrecido algo alguna vez?

¿Sabía *quién era* Rosa? No. En cierto sentido, la había inventado. Eso le dolió. Sintió ese dolor y pensó que sí, que a lo mejor la había inventado. Pero moría con su hijo en brazos.

RABIA
Compuesto en Andralis ND,
del tipógrafo argentino Rubén Fontana.
Impreso en papel Bookcel de 80 g/m²
en los talleres gráficos Del S.R.L.
E. Fernández 271, Avellaneda, Buenos Aires, Argentina,
en agosto de 2016. Encuadernado en Cuatro Hojas.